JUDITH
ESTHER

Ce fascicule a été revu, pour le Comité de Direction, par le R. P. PAUTREL, S. J., *Professeur au Scolasticat de Fourvière, et par* M. Henri RAMBAUD.

LA SAINTE BIBLE

traduite en français

sous la direction de l'École Biblique de Jérusalem

JUDITH
ESTHER

traduits par

A. BARUCQ, S. D. B.

Professeur à la Faculté de Théologie de Lyon
et au Scolasticat salésien

(2e édition revue)

LES ÉDITIONS DU CERF

29, boulevard Latour-Maubourg, Paris

1959

NIHIL OBSTAT :

Lugduni, die 10ª julii 1952.

J. SIMÉON, c. d.

IMPRIMATUR :

Parisiis, die 31ª julii 1952.

† Petrus BROT, v. g.

JUDITH

JUDITH

INTRODUCTION

Le livre.   Le livre de Judith, comme celui d'Esther, est l'histoire d'une libération de la nation juive. En grave péril elle est délivrée par l'intervention d'une femme, Judith. Le récit se répartit en deux sections de longueur presque égale.

a) La première section (**1-7**) expose la préparation du drame : la minuscule nation juive accepte de s'affronter à l'imposante armée d'Holopherne. Voici la suite des faits : Nabuchodonosor, présenté comme roi d'Assur, veut combattre Arphaxad, dit roi des Mèdes. Il invite tous les peuples établis dans les plaines du Tigre et de l'Euphrate, dans les régions de Haute-Mésopotamie et de Haute-Syrie, dans les vallées de l'Oronte et du Jourdain et dans le Delta égyptien à s'unir à lui (**1** 1-10). Refus général (**1** 11 s). La guerre commence donc, d'abord contre Arphaxad, rapidement vaincu (**1** 13-16), puis contre toutes les nations coupables d'avoir outragé Nabuchodonosor. Toutes se soumettent dès l'apparition d'Holopherne, présenté comme général de Nabuchodonosor (**2** 1-3 10). Seul le peuple juif se raidit et se retranche dans ses montagnes (**4** 1-8). Pendant qu'Israël est en prière Holopherne cherche le moyen de forcer le passage de Béthulie pour pénétrer jusqu'en Judée (**4** 9-5 2).

Parallèlement à ce conflit armé un autre se noue : un conflit religieux. Holopherne a pour mission de détruire tout culte local afin d'ériger le culte de Nabuchodonosor. La religion et le sanctuaire d'Israël se trouvent de ce fait voués à la ruine (**3** 8; **6** 1-4). La cause juive devient la cause même de Dieu. Cet aspect du conflit, le principal d'ailleurs, est nettement mis en lumière dans un discours tenu par un sage Ammonite, Achior (**5** 5-21) : le peuple juif est protégé par Dieu et imbattable tant qu'il lui restera fidèle. A cette thèse s'oppose celle d'Holopherne : Nabuchodonosor seul est dieu et la force aura raison d'un peuple désarmé.

L'investissement de Béthulie privée d'eau met à rude épreuve la confiance chancelante des Juifs assiégés et l'on parle de rendre la ville (**7**). Holopherne paraît donc bien près de triompher.

b) La présentation de Judith, héroïne du récit, ouvre la seconde partie (**8-16**). Tout de suite elle apparaît comme une jeune veuve, sage, pieuse, observante, clairvoyante, décidée (**8** 1-10). Il lui faudra triompher successivement et de la veulerie de ses concitoyens et de l'armée d'Assur.

A l'attitude timorée d'Ozias et des Anciens de la ville, au désespoir du peuple, elle oppose une réponse profondément religieuse et d'une confiance inaltérable : on ne discute pas avec Dieu (**8** 11-17), et puis, il n'y a qu'à interroger l'histoire, elle fournit assez de motifs de confiance (**8** 18-20). De plus on n'a pas le droit de capituler puisque le sort de Jérusalem dépend de nous (**8** 21-25). D'ailleurs Dieu ne nous châtie pas, il nous éprouve, comme jadis les Patriarches (**8** 25-27).

Après son discours, qui couvre de confusion le timide Ozias (**8** 28-31), Judith annonce sa décision d'agir et passe tout de suite à l'exécution, gardant le secret sur son plan (**8** 32-34). Elle prie alors (**9**), puis se pare et, accompagnée d'une servante porteuse de provisions pures, quitte Béthulie, se fait arrêter par un avant-poste assyrien et conduire devant Holopherne (**10** 1-17). Dans le camp assyrien il y a grand émoi à l'arrivée de cette belle Juive (**10** 18-23).

Judith va maintenant triompher d'Holopherne en maniant à la fois la séduction et la ruse. Elle se gagne le général et son entourage par un discours plein d'ambiguïtés (**11** 1-19); elle accepte de venir festoyer avec lui et ses officiers (**12** 10-18); elle ne fait pas de difficulté à être laissée seule avec le soudard ivre une fois la nuit tombée (**13** 1-3). C'est le moment de la victoire pour Israël. Après une invocation à Dieu, elle tranche la tête d'Holopherne, la met dans sa besace et regagne Béthulie (**13** 4-10). A Béthulie on est dans l'émerveillement (**13** 11-20). Achior, livré aux Juifs par Holopherne (**6**), se convertit au judaïsme (**14** 5-10). Judith demeure calme et expose un plan d'attaque contre le camp assyrien. Vu leur petit nombre les Juifs devront jouer de ruse et simuler une offensive (**14** 1-4). Ce qui est fait. Surpris, les Assyriens courent avertir Holopherne, le trouvent décapité, et, pris de panique, se sauvent en désordre poursuivis par les Juifs jusqu'à Damas (**14** 11-**15** 7).

Le livre se termine sur le récit du pillage du camp assyrien (**15** 11-14) et le triomphe de Judith (**15** 8-10). Tout le peuple se rend alors à Jérusalem pour une solennelle action de grâces (**15** 13-**16** 20). Revenue en son pays, Judith y vit encore longtemps, vénérée, chargée d'ans. Puis elle meurt et est ensevelie dans la caverne sépulcrale de son mari (**16** 21-25).

Contrairement au livre d'Esther il n'y a dans celui de Judith aucune allusion à une fête commémorative d'une si éclatante victoire. Seule la Vulgate en fait état dans un verset ajouté au texte grec (Vulg **16** 31).

État du texte. Ce livre ne nous est actuellement connu que par des versions grecques ou par des versions syriaques, arméniennes et latines qui en dérivent.

a) De toute évidence l'original était écrit en hébreu. Capable de s'exprimer en un grec correct et même élégant[1], l'auteur paraît avoir pris assez de liberté envers le texte de base qui,

---

1. Il use d'un vocabulaire relativement riche, recherche la variété par l'usage de verbes composés avec différentes prépositions sur une même racine, utilise les prépositions, conjonctions et particules avec aisance, s'écarte de la construction hébraïque en utilisant des formules syntactiques proprement grecques, comme le génitif absolu, etc.

cependant, transparaît encore dans sa traduction. Plusieurs erreurs sont d'ailleurs dues à des confusions entre des mots hébreux[1]. Ajoutons que le traducteur grec se montre très familiarisé avec la LXX.

b) Les textes grecs en notre possession présentent d'assez notables différences entre eux. On peut envisager trois formes principales du texte : 1° celle que transmettent les Mss B, A, S : 2° celle des Mss 19 et 108 ; 3° celle du Ms grec 58 suivi de près par les anciennes latines (VetLat) et la version syriaque (Syr). En marge, le Ms 609 de Paris, édité par Vigouroux dans sa Polyglotte, paraît être un allégement de B[2].

c) La version hiéronymienne (Vulg) présente un texte fort différent de celui des Mss grecs. Saint Jérôme s'est lui-même expliqué sur la façon dont il a conduit son travail[3]. Il a voulu « mettre fin à la multiplicité vicieuse des variantes de nombreux manuscrits » et « ne conserver que ce qui était conforme à un texte chaldéen », soit araméen. Mais saint Jérôme ne nous dit pas si les manuscrits dont il voulait corriger les leçons étaient grecs ou latins. Et puis, quel était ce texte araméen ? La Vulgate diverge tellement du texte grec qu'il est plus vraisemblable d'y voir une révision, à la lumière de l'araméen, d'un texte latin antérieur que d'un texte grec. Ainsi s'expliquerait l'originalité étonnante de la Vulgate par rapport à l'ensemble des textes et des versions.

d) Des textes hébreux, dispersés dans des publications peu accessibles ou même inédits, peuvent se répartir en quatre familles. Ils sont parallèles à la Vulgate, verset par verset, mais en diffèrent très largement dans le mot à mot et ne s'accordent pas davantage entre eux. Une étude plus approfondie serait nécessaire pour décider s'ils sont réellement indépendants

---

1. Cf. p. ex. notes critiques à **4** 11 ; **7** 28 ; **16** 1.

2. Il supprime de nombreuses particules de liaison, le mot « tout » si fréquent, beaucoup de pronoms personnels de 3e pers. redondants, certaines titulatures des personnages, même de courts développements énumératifs, rarement une péricope présentant une idée non énoncée auparavant comme en **2** 12b-13 ; **7** 15.

3. Cf. Préface au livre de Judith, en Migne, P. L., XXIX, 39-40.

de la Vulgate, comme certains indices le suggèrent, ou s'ils n'en sont que des traductions libres. Dans le premier cas, ils seraient apparentés au texte araméen utilisé par saint Jérôme (A. M. Dubarle).

Interprétation du livre. Quand il rangeait Judith « inter historias », saint Jérôme n'en faisait pas de ce fait un livre d'histoire. Il ne l'estimait guère et n'en entreprit la révision qu'à la prière instante de ses amis. Fort agitée de nos jours, la question de l'interprétation de ce livre ne peut se prévaloir d'une solution vraiment traditionnelle. De son côté la critique n'est pas encore en état de proposer une solution définitive et en tous points satisfaisante.

a) L'auteur ne paraît pas avoir voulu faire de l'histoire. Il semble mal renseigné sur l'époque où il place ses personnages et sur les pays qui ne sont pas le sien. La topographie même de la Samarie septentrionale ne lui est pas familière. Par contre l'action est bien conduite. Le conflit se restreint sans cesse jusqu'à ne plus opposer que deux personnages, Holopherne et Judith, chacun champion d'une idée religieuse. La longue phase de préparation (**1-7**) met plus en relief la rapidité du dénouement (**13** 4-10). Les discours, les prières, l'hymne final sont des parties maîtresses du livre, conçu pour édifier et encourager, non pour enseigner.

b) Contient-il cependant quelques précisions historiques ? Sur ce point les appréciations sont fort divergentes. Il est universellement admis que le texte, dans son état actuel, présente des données historiques et géographiques irréductibles aux notions les plus assurées. A peu de détails près il devait en être de même du texte original.

L'ensemble du récit a paru à certains critiques refléter l'époque d'Artaxerxès III Ochos (358-336). Ce prince fit campagne en Occident à plusieurs reprises (353 et 348), il eut à son service un Holopherne et un Bagoas, le récit contient plusieurs expressions perses (cf. **2** 7; **13** 6; **5** 8; **16** 10 et comm. à ces versets). Mais le ch. **1** fait penser plutôt aux campagnes du début du règne de Darius Iᵉʳ (521-486) selon l'inscription de Behistoun.

A cause de la mention de Ninive et des Assyriens d'autres cherchaient le cadre historique dans l'histoire du règne d'Assourbanipal : sa campagne victorieuse de 648 contre Babylone révoltée, la Phénicie et l'Arabie, puis contre les Mèdes en 633. Mais la situation de la Palestine telle que la suppose le récit est inconcevable à l'époque d'Assourbanipal (cf. **4** 3).

Avec beaucoup de vraisemblance on a rapproché le livre de Judith de l'épisode de Yaël tuant Sisera (Jg **4** 11-24). La situation nationale supposée est bien la même dans les deux cas. Il reste à se demander si l'auteur n'a pas eu en vue de faire discrètement allusion à une réédition de cette situation.

Une judicieuse appréciation du comportement de l'auteur à l'égard de l'histoire devra tenir compte de plusieurs éléments : — singularité du cadre géographique (cf. **1** 8; **2** 21-26; **4** 4; **7** 18 et notes) : l'extrême liberté avec laquelle les versions ont traduit les noms géographiques et même les transpositions de textes possibles (cf. p. ex. **2** 24) indiquent bien l'embarras des traducteurs; — manque d'unité du cadre historique : en ce qui concerne les peuples non israélites il est fait allusion à l'époque assyrienne des luttes contre la Médie (v. 640), à l'époque babylonienne du règne de Nabuchodonosor (**1** 1 et note), à l'époque perse (cf. plus haut), aux coutumes grecques (cf. **3** 8; **15** 12-13 et notes); — la situation d'Israël telle qu'elle ressort du récit est elle-même difficile à circonscrire en une époque donnée : il semble que le retour soit chose récente (**4** 3) mais le Temple est rebâti et la direction de la nation confiée au grand prêtre assisté d'un conseil d'Anciens, ce qui ne concorde avec aucune donnée de l'histoire post-exilienne. D'autre part l'importance donnée aux observances légales, plus minutieuses que dans la Loi (cf. **10** 5), l'attachement à Jérusalem, au Temple, au sacerdoce, la recherche de l'archaïsme font penser à l'époque de Ben Sira (v. 200) ou même à celle du pharisaïsme un siècle plus tard.

En effet, un midrash hébreu, édité par M. Gaster en 1896 et

provenant d'un manuscrit daté du Xe siècle de notre ère environ, offre une courte version de l'histoire de Judith. Séleucos y remplace Holopherne. Faut-il y voir un extrait de « calendrier des fêtes » du temps des Maccabées et l'ancêtre de notre livre ? Ou bien s'agit-il d'un midrash parallèle au récit biblique et peut-être même postérieur ? Pour juger de la chose, il faut se rappeler que la tradition juive mentionne fréquemment le haut fait de Judith, sans toujours connaître le nom de l'héroïne ou la date de l'événement. Quand elle mentionne une époque, c'est toujours celle de la persécution séleucide et parfois l'action est mise en relation avec un autre acte de courage accompli par une jeune fille de la famille des Maccabées. La ville délivrée est Jérusalem. Il est difficile de dire si la tradition juive a déformé le récit biblique et confondu les situations historiques, ou si, au contraire, elle n'a pas conservé plus fidèlement le souvenir d'un événement que l'auteur biblique a délibérément travesti en ses détails. La seconde hypothèse est plus vraisemblable (A. M. Dubarle).

Le livre de Judith apparaît donc comme un récit édifiant librement composé avec le souci de détacher l'attention d'un contexte historique précis pour la reporter tout entière sur le drame religieux et son dénouement.

c) C'est peut-être avec les apocalypses que le livre de Judith offre le plus d'apparentement. Il n'a emprunté au genre apocalyptique ni son imagerie ésotérique et déconcertante, ni son symbolisme numérique, ni sa référence habituelle à l'eschatologie. Mais l'idée foncière du livre est franchement apocalyptique. La lutte entre Dieu et l'impie se précise. Deux camps s'affrontent. Le parti de Dieu paraît voué à l'extermination. En réalité son triomphe est assuré et Dieu le réalisera par les moyens les plus inattendus. Alors le peuple saint, maintenant opprimé, montera triomphant vers Jérusalem. La tendance à rapprocher conte et apocalypse se fait jour dans le récit du « songe de Mardochée » qui sert d'encadrement au livre d'Esther dans le texte grec.

De plus le livre de Judith a des contacts certains avec les

livres de Daniel, d'Ézéchiel, de Joël[1] et sur des points assez importants : conflit religieux fondamental entre Nabuchodonosor et Yahvé, dessein de Dieu inscrit dans l'histoire, extermination des peuples païens. Dans la ligne des apocalypses encore la rencontre des deux camps est située dans la plaine d'Esdrelon : c'est là que Yaël a vaincu Sisera (Jg **4** 21), et saint Jean place dans la plaine d'Armageddon (la région de Megiddo, au pied du Carmel) la bataille eschatologique (Ap **16** 16); le nom de Yizréel est un nom de malheur déjà chez Osée (**1** 4 s). Si le livre n'est pas pseudonymique au sens où le sont habituellement les apocalypses, comme elles il transpose le drame présent dans un passé mal défini et démarque l'histoire sous une onomastique trompeuse. Le nom de Judith paraît choisi en raison de sa signification : la Juive. En **16** 4 Judith s'identifie à la nation. Les évaluations, toujours élevées, des troupes adverses (cf. **1** 16; **2** 5, 17; **7** 2-4, 17; **10** 17) sont aussi de règle dans de tels livres.

Les apocalypses que voient proliférer les deux premiers siècles avant notre ère ne disent pas autre chose que le livre de Judith, mais elles le disent autrement. C'est sous la forme d'un récit que notre auteur tire les leçons religieuses de l'histoire et en fait une raison d'espérer dans le triomphe final de la cause de Dieu.

Auteur, date et canonicité.

a) Il n'est pas possible d'assigner au livre un auteur et une date précis. Bien des détails déjà signalés : allusions aux coutumes grecques, points de contact de la théologie du livre avec la pensée du Siracide (vers 200 av. J. C.), indices d'une piété pharisienne faite d'attachement au sacerdoce, de foi à la Providence divine et de préoccupation de pureté rituelle, incitent à placer la composition de l'ouvrage à la fin

---

1. Cf. Dn **1** 8 et Jdt **12** 2; Dn **2** 38 et Jdt **11** 7; Dn **3** 1-5 et Jdt **3** 8; Dn **3** 14-18 et Jdt **6** 2; Dn **3** 34-36, 43-45 et Jdt **13** 5; Dn **11** 28 et Jdt **9** 13. — Ez **16** 20 et Jdt **5** 5-21; surtout l'oracle sur la destruction de Gog et Magog, Ez **38-39**. — Jl **2** 17 et Jdt **7** 29; Jl **4** 1-4 et Jdt **16** 17.

du second siècle avant notre ère ou au début du premier. Le fait que l'auteur ait placé à la tête du peuple un grand prêtre assisté d'un conseil d'Anciens et non un roi pourrait faire penser à l'époque d'hostilité pharisienne contre la dynastie asmonéenne (sous Alexandre Jannée : 103-76 av. J. C.). Une parenté d'idées avec certains Psaumes de Salomon[1] nous conduirait encore à attribuer au livre de Judith une date voisine de 70 av. J. C.

b) Les Juifs n'ont pas beaucoup parlé du livre de Judith. Ni Fl. Josèphe, ni Philon ne le citent. Le Talmud l'exclut du canon, ne lui reconnaissant qu'une inspiration inférieure. Cependant Origène et saint Jérôme disent que les Juifs le lisent. Des Targums le traduisent et l'interprètent.

Dans l'Église chrétienne le livre est cité par saint Clément de Rome, Clément d'Alexandrie, Origène, Tertullien, saint Basile, saint Éphrem, saint Ambroise, saint Augustin. Les grands manuscrits grecs du IVe siècle le portent tous. Par eux s'affirme la tradition de l'Église orientale de langue grecque.

Cependant, sous l'influence de la pratique juive, des doutes naissent dans les Églises de Palestine et d'Asie Mineure. Le silence du Canon de Méliton de Sardes en témoigne. Origène les exprime et après lui saint Cyrille de Jérusalem, saint Grégoire de Nazianze, Amphiloque, saint Épiphane. En Occident saint Hilaire, Rufin et saint Jérôme ne croient pas à la canonicité de Judith. Encore est-il que saint Jérôme, comme Origène, se montre indécis.

Ces doutes prennent fin en Occident avec les conciles africains d'Hippone (393) et de Carthage (397), le décret de Gélase qui reprend une décision du concile romain de 382, la lettre d'Innocent Ier à Exupère (405), et en Orient avec le Concile « *In trullo* » de 692. Cette foi de l'Église catholique trouvera son expression dans les décrets des conciles généraux : liste

---

1. Par exemple en tout ce qui concerne l'intérêt porté à Jérusalem (*Ps. Sal.*, **1** 1-3; **2** 1-15, 20; **8** 1-4, 19-21; **11** 2, 4-8); ou au Temple dont la profanation remplit le fidèle de tristesse (**2** 2; **8** 26). Comme en Jdt **16** 4 où l'héroïne s'identifie au peuple et parle de lui à la 1re personne, ainsi en *Ps. Sal.*, **1** 2-3 l'auteur s'identifie à Jérusalem.

adressée aux Jacobites par le Concile de Florence (1441) et finalement définition du Concile de Trente (1546).

Portée religieuse du livre. Contrairement au livre hébreu d'Esther le livre de Judith s'affirme très nettement et profondément religieux.

a) Dieu, le Dieu des pères, le Dieu des batailles, est toujours présent dans l'histoire. C'est à lui que s'oppose Nabuchodonosor, c'est lui qui va animer la confiance et le courage de Judith car c'est pour lui que le peuple résiste et souffre. Les biens les plus précieux d'Israël sont ses lieux saints, il en est responsable. Le peuple lui-même est une nation sainte gouvernée par un grand prêtre. Aussi Jérusalem, le Temple, les rites qui s'y déploient sont-ils fréquemment évoqués.

Le nom de « Seigneur », appellation habituelle de Dieu, est la transcription grecque de Yahvé. Or Yahvé est précisément le Dieu de l'Alliance, le grand maître de l'histoire qu'il conduit toujours pour le mieux des intérêts de son peuple, même quand il semble prêt à le châtier. Ozias et les habitants de Béthulie paraissent oublier cette perspective et Judith la leur rappelle. Yahvé est aussi le Dieu de la pureté, le Dieu qui a en horreur le péché. Sa conduite envers son peuple sera corrélative à la conduite de son peuple envers lui : Achior et Judith l'affirment devant Holopherne. Or, actuellement, le peuple n'est pas en état de péché, il n'est pas idolâtre, donc la victoire lui est assurée et c'est Judith, la plus pieuse et la plus observante des Juives, qui sera l'instrument de cette victoire. Dans les prières d'Esther et de Mardochée le peuple ne paraît pas si parfait !

Conformément au langage biblique Dieu est aussi appelé le Tout-Puissant, le Très-Haut, et, selon la terminologie perse, le Dieu du ciel. Mais l'auteur ne se complaît pas à nous montrer Dieu mettant au service des Juifs les armées célestes. Il accomplira tout par les hommes[1]. La sagesse, l'intelligence, la

---

1. L'auteur de Judith juge comme celui de 1 M.

décision, la ruse et la séduction de Judith auront raison d'Holopherne lourdaud, sensuel, vaniteux et glouton.

Dans un récit où Israël fait figure d'assiégé, le particularisme ne peut surprendre, d'autant qu'il a moins l'aspect d'une pure résistance ethnique, que celui d'une défense de la foi devant l'impiété. On remarquera plutôt que Judith lève cette sorte d'exclusive traditionnelle qui frappait Siméon (Gn **34** 30 s; **49** 5 s) pour le réhabiliter parmi ses pairs; et surtout que l'interdit de la Loi (Dt **23** 4-5) au sujet des Ammonites n'empêche pas l'admission d'Achior au sein d'Israël.

b) Faut-il faire au livre de Judith le reproche de faire triompher son héroïne au préjudice de la morale ? Judith trompe, séduit[1] et tue Holopherne et l'auteur la présente acclamée et conduite triomphalement jusqu'au temple de Jérusalem où elle vient remercier Dieu d'avoir béni son projet. L'attitude de Judith n'est pas différente de celle de la courtisane Rahab (Jos **2** 1-14) ou de Yaël, au temps des Juges. Pour apprécier la moralité de tels procédés il faut se placer dans la mentalité des peuples qui les emploient ou les rapportent. Le récit ne s'est certes pas inspiré de la morale chrétienne ni même de celle du judaïsme hellénistique. Il est volontairement conçu dans la perspective archaïque des guerres de conquête en Canaan, qui a inspiré les poèmes épiques d'Israël, du chant de Débora au cantique de Judith. « Les ruses de Judith ne sont pas entachées de la cruauté sacrilège des fils de Jacob (Ruben et Siméon, qu'elle innocente d'ailleurs); ce sont ruses de guerre classiques dans l'histoire et plus encore dans la légende[2]. »

---

1. Judith n'a cependant pas partagé la couche d'Holopherne (**13** 14). Tout en excitant la passion du général ennemi elle pensait bien arriver à ses fins sans cela.

2. A. LEFEBVRE, en D. B. S., IV, 1320.

Cette traduction, comme celle d'Esther, doit beaucoup au labeur et aux heureuses suggestions de M. Henri Rambaud son réviseur littéraire. Nous tenons ici à lui dire notre gratitude pour sa généreuse collaboration et à signaler tout le mérite qui lui revient dans cette œuvre.

A. B.

JUDITH[a]

I

LA CAMPAGNE D'HOLOPHERNE

Nabuchodonosor et Arphaxad.

1. [1] C'était en la douzième année de Nabuchodonosor[b], qui régna sur les Assyriens à Ninive la grande ville. Arphaxad[c] régnait alors sur les Mèdes à Ecbatane[d]. [2] Il entoura cette ville d'un mur d'enceinte en pierres de taille larges de trois coudées et longues de six, donnant au rempart une hauteur de soixante-dix coudées et une

---

a) Le texte de la Vulg étant assez différent du texte grec (cf. Introd., p. 12), on donne ici en note ses additions les plus significatives et, en marge, un repérage approximatif de sa numérotation des vv., là où elle diffère du grec.

b) Nabuchodonosor, roi de Babylone (604-562 av. J. C.), prit Jérusalem en 587 et conduisit les Juifs en captivité. Il ne fut jamais appelé roi d'Assur (**1** 7; **1** 11; etc.) et ne régna pas à Ninive (**1** 1; **2** 21), détruite depuis 612 par Nabopolassar, son père. Ici comme en Dn **4** Nabuchodonosor est le type du souverain puissant, cruel et impie.

c) Arphaxad est inconnu de l'histoire. Son nom a fait penser à Phraorte (675-653), fondateur du royaume de Médie. L'auteur semble avoir voulu réunir les noms des trois fils de Sem de la « table ethnographique » de la Genèse (Gn **10** 22; cf. Arioch, roi d'Élymaïde, v. 6).

d) Ecbatane (cf. Esd **6** 2; 2 M **9** 3), ville de Médie, act. Hāmadan, choisie comme capitale dès l'époque de Déjocès (v. 700 av. J. C.). Située dans la région montagneuse, elle dut son importance à sa position au carrefour des routes de Perse et de la vallée de l'Euphrate (cf. HÉRODOTE, I, 96-99; POLYBE, X, 27, 6).

largeur de cinquante. ³ Aux portes il dressa des tours de
cent coudées de haut sur soixante de large à leurs fonda-
tions, ⁴ les portes elles-mêmes s'élevant à soixante-dix
coudées avec une largeur de quarante, ce qui permettait
la sortie du gros de ses forces et le défilé de ses fantassins.

⁵ Or, vers cette époque, le roi Nabuchodonosor livra
bataille au roi Arphaxad dans la grande plaine située sur
le territoire de Ragau*a*. ⁶ A ses côtés s'étaient rangés tous
les peuples des montagnes*b*, tous ceux de l'Euphrate, du
Tigre, de l'Hydaspe*c*, et ceux des plaines soumises au roi
des Élyméens Arioch*d*. Ainsi de nombreux peuples se
rassemblèrent pour prendre part à la bataille des fils de
Chéléoud*e*.

⁷ Nabuchodonosor, roi des Assyriens, envoya un message à tous les habitants de la Perse, à tous ceux de la
région occidentale, de la Cilicie, de Damas, du Liban,
de l'Anti-Liban, à tous ceux de la côte, ⁸ aux peuplades
du Carmel, de Galaad, de la Haute-Galilée, de la grande
plaine d'Esdrelon, ⁹ aux gens de Samarie et des villes de sa
dépendance, à ceux d'au delà du Jourdain, jusqu'à Jérusalem, Batanée, Chélous, Cadès, le fleuve d'Égypte, Taphnès,

---

a) Site localisé dans une plaine voisine d'une région montagneuse (**1** 15).
La Vulg en le plaçant « près de l'Euphrate et du Tigre... » ne fait que rapporter à Ragau les données de **1** 6 (grec) qui ne le concernent pas. A rapprocher du Rhagès de Tobie, **4** 1; **5** 6; etc., l'actuelle Raï, à env. 160 km.
N.-E. d'Ecbatane.

b) La région « montagneuse » désigne les hauts plateaux de l'Iran occi-
dental (Zagros), opposés aux plaines de Mésopotamie et d'Élam.

c) L'Hydaspe (Syr *Oulaï* ; Vulg *Jadason*) est plutôt à identifier avec le
Choaspès, qui passe à Suse (cf. Esther, p. 92, n. *b*), qu'avec le fleuve de ce
nom affluent de l'Indus (act. Djélam), à l'extrême limite orientale de
l'empire perse sous Darius Ier.

d) L'Élymaïde est une province orientale de l'empire perse. 1 M **6** 1
parle d'une expédition d'Antiochos IV à Élymaïs. L'histoire ignore le
règne d'un Arioch en ce pays.

e) Ce nom, sous lequel l'auteur semble englober l'ensemble des peuples
énumérés, désigne probablement les Chaldéens.

Ramsès, tout le territoire de Goshen, ¹⁰ au delà de Tanis
et de Memphis, et à tous les habitants de l'Égypte jusqu'aux confins de l'Éthiopie *ᵃ*. ¹¹ Mais les habitants de
ces contrées ne firent pas cas de l'appel de Nabuchodonosor, roi des Assyriens, et ne se joignirent pas à lui pour
faire campagne. Ils ne le craignaient pas car, à leurs yeux,
il paraissait un isolé *ᵇ*. Ils renvoyèrent donc ses messagers
les mains vides et déshonorés. ¹² Nabuchodonosor en
éprouva une violente colère contre tous ces pays *ᶜ*. Il jura
par son trône et son royaume de se venger et de dévaster
par l'épée tous les territoires de Cilicie, de Damascène,
de Syrie, ainsi que ceux de Moab, ceux des Ammonites,
de Judée et d'Égypte, jusqu'aux frontières des deux mers *ᵈ*.

---

a) Le texte grec énumère tous les vassaux ou amis de Nabuchodonosor
susceptibles de l'aider à combattre Arphaxad. A l'est on ne nomme que
la Perse. La liste des peuples occidentaux (région où va se dérouler l'action)
est très détaillée et établie selon un ordre N.-E., S.-O., avec quelques
déplacements inattendus : du Carmel on va à Galaad (Transjordanie entre
les fleuves Yarmouk et Jabbok) puis en Haute-Galilée. — La plaine
d'Esdrelon ne se trouve sous ce nom qu'au livre de Judith (**1** 8; **3** 9; **4** 6;
7 3). C'est la déformation de l'hébreu Yizréel, nom d'une ville (Jos **15** 56;
1 R **4** 12, etc.) qui a donné son nom à la plaine environnante (Jos **17** 16;
Jg **6** 33; 2 S **2** 9; Os **1** 5). Batanée est peut-être Beit Ainum (Bet-Anôt
de Jos **15** 59?) à 4 km. N.-E. d'Hébron. Chélous est peut-être Khalasah
au S.-E. de Bersabée. Cadès est Cadès-Barné. Le « fleuve d'Égypte » est
le « Wâdi el Arish » frontière entre la Palestine et l'Égypte. Taphnès est
vraisemblablement Tell Dephneh, près du lac Menzaleh. Ramsès (cf. Ex **1**
11) est peut-être Tanis = San el Hagat (ou Kantir). Pour les rapports
entre Ramsès et Goshen, cf. Gn **47** 11, 27 : on situe plutôt Goshen plus
à l'est, au W. Toumilat.

b) Il semble que le meilleur sens de la locution grecque « un homme
seul » (εἷς = quelques fois ἴσος) soit « un homme (politiquement) isolé » :
Nabuchodonosor en est réduit à chercher de toute part des appuis. Cowley
propose d'après le substrat sémitique possible « un homme de rien ».

c) L'expression « toute la terre » fréquente dans le livre (**5** 21; **6** 4;
7 4; **11** 8, etc.) ou bien signifie la région considérée dans le contexte ou
bien fait partie du style emphatique oriental.

d) A la liste des vv. 7-11 s'ajoutent ici les populations de Moab, d'Ammon et de Judée. Les deux dernières vont jouer un rôle de premier plan
dans le récit. — L'expression « les frontières des deux mers » est obscure.
Il peut être question d'une frontière adjacente à deux mers : mer Rouge

[13] Avec ses forces, il livra

Campagne
contre Arphaxad.

bataille au roi Arphaxad en la dix-septième année et, dans ce combat, le vainquit.

Il culbuta toute son armée, sa cavalerie, ses chars, [14] se soumit ses villes et parvint jusqu'à Ecbatane. Là il s'empara des tours, ravagea les places, faisant un objet de honte de tout ce qui constituait sa parure. [15] Puis il prit Arphaxad dans les montagnes de Ragau, le perça de ses javelots et l'extermina définitivement.

[16] Il s'en retourna ensuite avec ses troupes et l'immense foule qui s'était jointe à eux, incommensurable cohue d'hommes armés. Alors, dans l'insouciance, ils s'adonnèrent à la bonne chère, lui et son armée, cent vingt jours durant[a].

2. [1] La dix-huitième an-

Campagne occidentale.

née[b], le vingt-deuxième jour du premier mois, le bruit courut au palais que Nabuchodonosor, roi des Assyriens, allait tirer vengeance de toute la terre, comme il l'avait dit. [2] Tous ses aides de camp et notables convoqués, il tint avec eux un conseil secret, et décida de sa propre bouche la destruction totale de toutes ces régions. [3] Alors

---

et Méditerranée (mais Memphis est au delà, v. 10). Peut-être faut-il comprendre que la victoire escomptée sur Arphaxad et les occidentaux va rendre Nabuchodonosor maître d'un pays qui étendra ses frontières du golfe Persique à la Méditerranée. Judith mettra ce plan grandiose en échec.

a) Cf. Est **1** 4.

b) Cette 18e année de Nabuchodonosor (Vulg 13e année) est l'an 587, celui de la prise de Jérusalem (cf. Jr **52** 29). L'auteur aura voulu rapprocher le souvenir de l'année triste entre toutes pour les Juifs de celui de la revanche juive par la main de Judith : le sacrilège de Nabuchodonosor marque le commencement de sa perte. — On retrouve ici le souvenir des coalitions cananéennes soit contre Assur (2 R **17** 4; Is **36** 9; **39** 1 s; 2 Ch **33** 11) soit contre Babylone (2 R **24** 20; 2 Ch **36** 3).

on décréta de faire périr quiconque n'avait pas répondu
à l'appel du roi.

⁴ Le conseil terminé, Nabuchodonosor, roi des Assyriens, fit appeler Holopherne*a*, général en chef de ses
armées et son second. Il lui dit : ⁵ « Ainsi parle le grand
roi, maître de toute la terre*b* : Pars, prends avec toi des
gens d'une valeur au-dessus de tout soupçon, à peu près
cent vingt mille fantassins et un fort contingent de chevaux avec douze mille cavaliers, ⁶ puis marche contre
toute la région occidentale, puisque ces gens ont résisté
à mon appel. ⁷ Mande-leur de préparer la terre et l'eau*c*,
car, dans ma fureur, je vais marcher contre eux. Des pieds
de mes soldats je couvrirai toute la surface du pays et je
le livrerai au pillage. ⁸ Leurs blessés rempliront les ravins
et, comblés de leurs cadavres, torrents et fleuves débor-
deront. ⁹ Je les emmènerai en captivité jusqu'au bout du
monde. ¹⁰ Va donc ! Commence par me conquérir toute
cette région. S'ils se livrent à toi, tu me les réserveras pour
le jour de leur châtiment. ¹¹ Quant aux insoumis*d*, que ton
œil n'en épargne aucun. Voue-les à la tuerie et au pillage
dans tout le territoire qui t'est confié. ¹² Car je suis vivant,

---

a) Les noms d'Holopherne et de Bagoas (**12** 11) sont perses et portés
par des officiers d'Artaxerxès III Ochos (DIODORE DE SICILE, XXXI,
19, 2-3 ; XVI, 47, 4). Ce souverain fit campagne contre les Cadusiens (peu-
plade mède), en Asie Mineure et jusqu'en Égypte. Cela suffit-il à identifier
le Nabuchodonosor de Judith avec Artaxerxès III ? Il faut tenir compte
du fait que le livre suppose aussi un fond historique grec plus récent
(cf. notes à **3** 8 ; **15** 13, etc.).

b) Titre officiel des rois de Perse.

c) La formule se retrouve dans des documents perses (cf. HÉRODOTE,
VI, 48-49). Elle signifie qu'en signe de soumission les populations auront
à mettre à la disposition du vainqueur le nécessaire pour son passage et
son séjour.

d) Le texte porte : « pour ce qui est de *ces* insoumis ». Il faut comprendre, semble-t-il : pour ce qui est de ceux qui, parmi les populations
occidentales (v. 6), ne se soumettraient pas. Holopherne a mission d'épar-
gner momentanément ceux qui se soumettront et de faire périr les autres.

moi, et vivante est la puissance de ma royauté ! J'ai dit. Tout cela, je l'accomplirai de ma main ! ¹³ Et toi, ne néglige rien des ordres de ton maître, mais agis strictement selon ce que je t'ai prescrit, sans plus tarder ! »

7   ¹⁴ Sorti de chez son souverain, Holopherne convoqua tous les princes, les généraux, les officiers de l'armée d'Assur, ¹⁵ puis dénombra des guerriers d'élite, conformément aux ordres de son maître : environ cent vingt mille hommes plus douze mille archers montés. ¹⁶ Il les

8 disposa en formation normale de combat. ¹⁷ Il prit ensuite des chameaux, des ânes, des mulets en immense quantité pour porter les bagages, des brebis, des bœufs, des chèvres

10 sans nombre pour le ravitaillement. ¹⁸ Chaque homme reçut d'amples provisions ainsi que beaucoup d'or et d'argent comptés par la maison du roi.

11   ¹⁹ Puis, avec toute son armée, il partit en expédition devant le roi Nabuchodonosor afin de submerger toute la contrée occidentale de ses chars, de ses cavaliers, de ses fantassins d'élite. ²⁰ Une foule composite marchait à sa suite, aussi nombreuse que les sauterelles, que les grains de sable de la terre. Aucun chiffre n'en pourrait évaluer la multitude.

12   ²¹ Ils quittèrent donc Ni-

Étapes de l'armée   nive et marchèrent trois jours
d'Holopherne.   durant dans la direction de
                                 la plaine de Bektileth[a]. De
Bektileth ils s'en vinrent camper près des montagnes situées à gauche[b] de la Haute-Cilicie. ²² De là, avec toute

---

a) Ville inconnue. On a rapproché son nom de celui d'une Bactaïlla près d'Antioche, sur l'Oronte ; d'une Bagadania, en Cappadoce, etc. Si on la suppose en Haute-Cilicie une armée ne peut, de Ninive, l'atteindre en trois jours.

b) La « gauche » de la Haute-Cilicie, pour un Hébreu, est le nord. Vulg parle du mont Angé, nom qui ferait penser au mont Argée au N. du Taurus de Cilicie.

son armée, fantassins, cavaliers et chars, Holopherne
13 s'engagea dans la région montagneuse. ²³ Il pourfendit
Put et Lud*a*, rançonna tous les fils de Rassis*b* et ceux
d'Ismaël cantonnés à l'orée du désert au sud de Chéléôn*c*,
14 ²⁴ longea l'Euphrate, traversa la Mésopotamie, détruisit
de fond en comble toutes les villes fortifiées qui dominent
15 le torrent d'Abrona*d* et parvint jusqu'à la mer. ²⁵ Puis il
s'empara des territoires de la Cilicie, taillant en pièces
quiconque lui résistait, arriva jusqu'aux limites méridio-
16 nales de Japhet*e*, en face de l'Arabie, ²⁶ encercla tous les
Madianites*f*, brûla leurs campements et pilla leurs ber-
17 geries, ²⁷ descendit ensuite dans la plaine de Damas à
l'époque de la moisson des blés*g*, mit le feu aux champs,
fit disparaître menu et gros bétail, pilla les villes, dévasta

---

a) Sur Put et Lud, cf. Gn **10** 6 : Put est dit fils de Cham avec Canaan;
en Gn **10** 13 les Ludim sont dits fils de Miçrayim et mis en relation avec
la Crète et les Philistins; par contre en **10** 22 on a un Lud, fils d'Aram.
Si l'on pense à la Pisidie et à la Lydie on est en dehors du cadre de l'expédition. Cf. encore Jr **46** 9; Ez **27** 10; **30** 5; **38** 5.

b) Rassis. En lisant Tharsis Vulg fait penser à Tarse de Cilicie.

c) Chéléôn : site inconnu, supposé localisé vers la Damascène. Une
variante (B 58 Syr 19.108) a lu « les Chaldéens », mais le sens n'est pas
meilleur.

d) Ce torrent d'Abrona est inconnu. Les versions ont essayé de lire un
nom plus connu (Vulg *Mambré* ; Syr *Jabbok*) mais sans élucider le sens. Le
trajet supposé par les vv. 21-25 est inconcevable. Il faut admettre ou un
déplacement de texte, ou une grande imprécision dans les connaissances
géographiques de l'auteur, ou une réelle indifférence pour la localisation
des faits.

e) Indication géographique obscure. Gn **10** 1-2 énumère des territoires
considérés comme dépendants de Japhet, aucun d'eux ne présente cette
particularité de confiner à l'Arabie par sa frontière méridionale. D'après
le contexte il faudrait penser à une région située au nord ou N.-O. de
Damas.

f) D'après les données bibliques les Madianites sont ou des sédentaires
vivant dans les parages du Sinaï (Ex **2** 15-21) ou dans le pays de Moab
(Nb **22** 4-7; **31** 1-8); ou bien des nomades qui incursionnent jusqu'en
Canaan (Jg **6** 1-8, 33). Il y a peut-être ici un archaïsme pour désigner les
Arabes.

g) Les Hébreux distinguent l'époque de la moisson des orges, en avril
(cf. 2 S **21** 9), et celle de la moisson des blés, fin mai (cf. Gn **30** 14).

les campagnes et passa au fil de l'épée tous les jeunes gens.
18 ²⁸ Crainte et tremblement s'emparèrent de tous les habitants de la côte. La terreur régnait parmi les populations de Sidon et de Tyr, et de Sour, et d'Okina, et de Jamnia, et d'Azot, et d'Ascalon*ᵃ*.

3. ¹ Des envoyés, porteurs de messages de paix, furent alors dépêchés vers lui. ² « Nous sommes, devaient-ils dire, les serviteurs du grand roi Nabuchodonosor et nous nous prosternons devant toi. Fais de nous ce qu'il te plaira. ³ Nos parcs à bestiaux, notre territoire tout entier, tous nos champs de blé, notre menu et gros bétail, tous les enclos de nos campements sont à ta disposition. Uses-en comme bon te semblera. ⁴ Nos villes mêmes et leurs habitants sont à ton service. Viens, avance-toi vers elles selon ton bon plaisir. » ⁵ Ces hommes se présentèrent donc devant Holopherne et lui transmirent en ces termes leur message.

7   ⁶ Avec son armée il descendit ensuite vers la côte, éta-
8 blit des garnisons dans toutes les villes fortifiées et y pré-
9 leva des hommes d'élite comme troupes auxiliaires. ⁷ Les
10 habitants de ces cités et de toutes celles d'alentour l'accueillirent parés de couronnes et dansant au son des tambourins*ᵇ*. ⁸ Mais il n'en dévasta pas moins leurs sanctuaires

---

3 8. « *sanctuaires* » Pesh ; « *territoires* » G.

---

a) Les vv. 27-28 nous livrent des noms bien connus. L'auteur semble être plus familiarisé avec la région ici décrite. Cependant Tyr et Sour sont la même ville. On peut supposer une dittographie à moins de voir dans le mot Sour la ville de Dor (sur la côte au S. du Carmel). Okina peut être Akko (Saint-Jean d'Acre).

b) Ces théories de gens parés de couronnes et dansant au son du tambourin semblent bien peu dans les mœurs orientales. Dans la Bible il n'en est question qu'à l'époque grecque (Si **32** 2 ; Sg **2** 8 ; cf. aussi 3 M **7** 16). L'expression se retrouve en **15** 13, ce qui rend improbable l'explication de Vulg qui fait offrir les couronnes au vainqueur.

et coupa leurs arbres sacrés[a], conformément à la mission reçue d'exterminer tous les dieux indigènes pour obliger les peuples à ne plus adorer que le seul Nabuchodonosor et forcer toute langue et toute race à l'invoquer comme dieu[b].

[9] Il arriva ainsi en face d'Esdrelon, près de Dôtaïa[c], bourgade sise en avant de la grande chaîne de Judée, [10] campa entre Géba[d] et Scythopolis et y demeura tout un mois pour refaire ses approvisionnements.

4. [1] Les Israélites établis
Alerte en Judée. en Judée, apprenant ce qu'Holopherne, général en chef de Nabuchodonosor roi des Assyriens, avait fait aux différents peuples et comment, après avoir dépouillé leurs temples, il les avait livrés à la destruction, [2] furent saisis d'une extrême frayeur à son approche et tremblèrent pour Jérusalem et le Temple du Seigneur leur Dieu. [3] A peine venaient-ils de remonter de captivité, et le regroupement du peuple en Judée, la purification du mobilier sacré, de l'autel et du Temple profanés étaient choses récentes[e].

---

a) Le début du v. 8 est peut-être à traduire : « il dévasta leurs hauts lieux et coupa leurs ashéras » (cf. 2 Ch **17** 6).

b) Les rois assyriens ou babyloniens n'émirent jamais cette prétention. En Dn **3** 1-5 il n'est pas dit que la statue d'or représentât le roi, bien que ce texte puisse être une critique des exigences d'Antiochus IV. Les Séleucides, à l'exemple d'Alexandre, furent en effet les premiers à exiger les honneurs divins et à se faire appeler officiellement « dieu ».

c) Dotaïa est le Dotân de Gn **37** 17 et Jg **4** 6; **7** 3; **8** 3 : act. Tell Dothan à 8 km. S.-O. de Djenin. Vulg a ici des données géographiques étranges.

d) Géba, localité inconnue. Le nom a fait penser à Gibleam ou Gelboé. Elle est ici mise en relation avec Scythopolis-Beisan, à l'extrémité orientale de la plaine d'Esdrelon.

e) Deux événements chronologiquement distincts paraissent mentionnés ici : 1) le retour de la captivité de Babylone et le repeuplement de Jérusalem avec Sheshbaççar, Zorobabel, Esdras et Néhémie (539-400 env.); 2) la purification du Temple après la persécution et la violation du sanctuaire par Antiochus IV (165). On ne peut rapprocher la 2e partie de ce

³   ⁴ Ils alertèrent donc toute la Samarie^a, Kona, Bet-Horôn,
Belmaïn, Jéricho, Choba, Ésora et la vallée de Salem^b.
⁵ Les sommets des plus hautes montagnes furent occupés,
⁴ les bourgs qui s'y trouvaient, fortifiés. On prépara des
approvisionnements en vue de la guerre, car les champs
⁵ venaient d'être moissonnés. ⁶ Le grand prêtre Ioakim^c,
alors en résidence à Jérusalem, écrivit aux habitants de
Béthulie et de Bétomestaïm^d, villes situées en face d'Esdre-
⁶ lon et vers la plaine de Dotaïn, ⁷ pour leur dire d'occuper
les hautes passes de la montagne, seule voie d'accès vers
la Judée. Il leur serait d'ailleurs aisé d'arrêter les assail-
lants, l'étroitesse du passage ne permettant d'y avancer
⁷ que deux de front. ⁸ Les Israélites exécutèrent les ordres
du grand prêtre Ioakim et du Conseil des anciens du
peuple^e siégeant à Jérusalem.

---

v. de Esd **6** 15-18. Là on parle de « reconstruire » le sanctuaire. Ici il s'agit
seulement de « purifier » (cf. 1 M **4** 36 et 2 M **10** 3-5) mobilier sacré, autel
et sanctuaire « profanés » et non pas détruits comme ce fut le cas en 587. —
L'auteur veut motiver la résistance déraisonnable du petit peuple juif au
puissant Holopherne par le souvenir des douloureuses expériences passées.

a) L'hostilité des Samaritains envers les Juifs à leur retour de Babylonie
(cf. Ne **4** 33-35; Esd **4** 1-5, 10-17; cf. Jn **4** 9) n'est pas envisagée ici.

b) Samarie, Bet-Horôn (env. 20 km. N.-E. de Jérusalem), Jéricho sont
les sites connus qui permettent de circonscrire l'aire géographique qu'em-
brasse le v. 4. La vallée de Salem pourrait désigner un lieu proche de
Jérusalem. Archaïsme se référant à Gn **14** 17-18.

c) Un Ioakim (hébr. Yoyaqim) apparaît dans la lignée des grands prêtres
en Ne **12** 10, 12, 26. Mais alors un fonctionnaire civil représente le pouvoir perse à Jérusalem : haut commissaire ou gouverneur. Sous les Asmo-
néens seulement on vit des prêtres assumer la conduite d'une résistance
armée. Certains pensent à Onias IV prêtre et chef de la communauté de
Léontopolis.

d) Ni Béthulie (si importante dans le récit), ni Bétomestaïm ne sont
connues. Béthulie, située ici face à la plaine d'Esdrelon, est donnée comme
une position-clé qui commande le passage vers la Judée (cf. v. 7 et **8** 21).
L'auteur pensait sans doute à une ville agrippée aux contreforts du Carmel
ou du massif de Gelboé (cf. **6** 10-13) et dominant la route qui, par Djenin,
conduit à Samarie et Jérusalem.

e) Un « Conseil des anciens » ou « Gerousia » n'apparaît pas en Israël
auprès du grand prêtre avant l'Exil. Les rois réunissaient de tels conseils

8   ⁹ Avec une ardeur soute-
          Les grandes   nue, tous les hommes d'Is-
          supplications.   raël crièrent vers Dieu et
                                        s'humilièrent devant lui.
¹⁰ Eux, leurs femmes, leurs enfants, leurs troupeaux, tous
ceux qui vivaient avec eux, mercenaires ou esclaves[a],
9 ceignirent leurs reins de sacs. ¹¹ Tous les Israélites de
Jérusalem, femmes et enfants compris, se prosternèrent
face contre terre devant le sanctuaire et, la tête couverte
de cendres, étendirent les mains devant le Seigneur. ¹² Ils
entourèrent d'un sac l'autel lui-même[b]. A grands cris ils
suppliaient unanimement et avec ardeur le Dieu d'Israël
de ne pas livrer leurs enfants au massacre, leurs femmes
au rapt, les villes de leur héritage à la destruction, le
Temple à la profanation et à l'ironie outrageante des
païens. ¹³ Attentif à leur voix, le Seigneur prit en considé-
ration leur détresse.

---

4 9. « *Avec une ardeur soutenue* » *est répété dans la majorité des Mss grecs après*
« *s'humilièrent* ». *C'est sûrement une dittographie. Nous l'omettons. Mais* cod 58,
Luc. et quelques Mss des LXX ont en 2ᵉ *lieu* « *avec grand faste* ».

11. « *les mains* »; *G* « *leurs sacs* »; *Vulg* « *infantes prostraverunt contra faciem
templi* » : « *ils firent prosterner les enfants devant le temple* ». *Nous supposons
que le texte primitif portait* « *les mains* », *en effet* : 1) 8 *fois sur* 10 *le complément
du verbe* ἐκτείνειν *dans les LXX est le mot* « *mains* »; 2) *un texte primitif
hébreu* yâdayim *explique une lecture* yᵉlâdîm *qui aurait été à la base du texte araméen lu par saint Jérôme. Un Ms hébreu récent porte* : « *ils jetèrent les sorts*
('urîm) », *avec correction marginale* : « *les enfants* ».

(1 R **8** 1; **12** 6, etc.), à l'époque grecque il semble que ce soit une institution permanente auprès du chef de la nation (2 M **11** 27 et Fl. Josèphe,
Ant., XII, 3, 3). Peut-être l'auteur s'est-il inspiré de cet état de choses.
A moins qu'il ne faille se référer à l'organisation des Juifs en diaspora
égyptienne à l'époque grecque.

a) La mention des mercenaires ou esclaves cohabitant avec l'Israélite
rappelle Ex **12** 45; **20** 10; Dt **24** 14, etc. La pénitence à laquelle participent
les troupeaux est mentionnée en Jon **3** 7-8.

b) Autant l'usage du sac comme vêtement de pénitence est habituel
en Israël, autant est étrange le geste de recouvrir l'autel d'un tel cilice.
Cf. commentaire à Est **4** 1.

Dans toute la Judée et à Jérusalem devant le sanctuaire du Seigneur Tout-Puissant le peuple jeûnait[a] de longs jours. 14 Le grand prêtre Ioakim et tous ceux qui se tenaient devant le Seigneur[b], prêtres et ministres du Seigneur, le sac sur les reins, offraient l'holocauste perpétuel, les oblations votives et les dons volontaires du peuple 15 et, le turban couvert de cendres, ils suppliaient intensément le Seigneur de visiter la maison d'Israël.

Conseil de guerre dans le camp d'Holopherne.

5. 1 On annonça à Holopherne, général en chef de l'armée assyrienne, que les enfants d'Israël se préparaient au combat : ils avaient, disait-on, fermé les passes de la montagne, fortifié les hautes cimes et, dans les plaines, disposé des obstacles. 2 Il entra alors dans une très violente colère, convoqua tous les princes de Moab, tous les généraux d'Ammon, tous les satrapes[c] du littoral. 3 « Hommes de Canaan[d], leur dit-il, renseignez-moi : quel est ce peuple qui demeure dans la région montagneuse ? Quelles sont les villes qu'il habite ? Quelle est l'importance de son armée ? En quoi

---

a) Sur le jeûne, cf. commentaire à Est **4** 16. Vulg fait mention d'une mission du grand prêtre à travers tout Israël pour exhorter à la prière en rappelant l'antique défaite d'Amaleq (Ex **17** 9-13).

b) L'auteur paraît vouloir distinguer parmi le clergé de Jérusalem : le grand prêtre et « ceux qui se tiennent devant le Seigneur » (cf. Dt **18** 7; Ps **135** 1; Jr **28** 5), parmi lesquels il mentionne les prêtres et les « ministres du Seigneur » (cf. Ps **113** 1; **134** 1; **135** 1). Joël (**1** 9; **2** 17) parle des « prêtres serviteurs de Yahvé ».

c) Le terme est perse. Cf. Est **3** 12 et note *c*, p. 94 : il s'agit ici non de satrapes mais de petits gouverneurs locaux.

d) L'expression est archaïsante. Depuis le début de l'époque royale elle ne paraît plus employée que dans des allusions à l'époque de la conquête de Canaan ou de l'installation au temps des Juges. Seuls des textes poétiques ou archaïsants comme Esd **9** 1; Ne **9** 8 l'utilisent encore à l'époque récente.

résident sa puissance et sa force ? Quel est le roi qui est à
sa tête et dirige son armée ? ⁴ Pourquoi a-t-il dédaigné
de venir au-devant de moi, contrairement à ce qu'ont
fait tous les habitants de la région occidentale *a* ? »

⁵ Achior *b*, chef de tous les Ammonites, lui répondit :
« Que Monseigneur écoute, je t'en prie, les paroles pro-
noncées par ton serviteur. Je vais te dire la vérité sur ce
peuple de montagnards qui demeure tout près de toi. De
la bouche de ton serviteur aucun mensonge ne sortira.
⁶ Les gens de ce peuple sont des descendants des Chaldéens. ⁷ Anciennement ils vinrent habiter en Mésopotamie
parce qu'ils n'avaient pas voulu suivre les dieux de leurs
pères établis en Chaldée *c*. ⁸ Ils s'écartèrent donc de la voie
de leurs ancêtres et adorèrent le Dieu du ciel *d*, Dieu qu'ils
avaient reconnu. Bannis alors de la face de leurs dieux, ils
s'enfuirent en Mésopotamie où ils habitèrent longtemps.
⁹ Leur Dieu leur ayant signifié de sortir de leur résidence
et de s'en aller au pays de Canaan, ils s'y installèrent
et y furent surabondamment comblés d'or, d'argent et
de nombreux troupeaux. ¹⁰ Ils descendirent ensuite en
Égypte, car une famine s'était abattue sur la terre de
Canaan, et ils y demeurèrent tant qu'ils y trouvèrent de

---

a) Le thème du non-conformisme juif a été exploité dans Esther :
cf. note *a*, p. 105.

b) Le personnage d'Achior l'Ammonite semble inspiré de la figure
traditionnelle du sage et bon païen Ahikar (cf. Tb **1** 21 s; **2** 10; **11** 18; **14**
10 et introd., p. 8. Vulg y a lu le nom Achior). Dans sa bouche l'auteur
va placer une revue d'histoire du peuple élu selon la mentalité prophétique : encore insiste-t-il moins qu'Ez **16** et **20** ou Ps **78** et **106** sur les
fautes d'Israël. Cf. l'épisode du devin païen Balaam bénissant Israël devant
Balaq, roi de Moab (Nb **22-24**). Ainsi se prépare le discours de Judith,
11 9-19.

c) Cf. Gn **11** 31 et Ne **9** 7. La Mésopotamie dont il est question est la
région de Harran (Gn **12** 4), sur le Balih, affluent du haut Euphrate.

d) L'expression « le Dieu du ciel » est spécifiquement perse : cf. Esd **5**
11 s; **6** 9 s et Papyri d'Éléphantine.

la nourriture[a]. Là ils devinrent une grande multitude et une race innombrable. [11] Mais le roi d'Égypte se dressa contre eux et se joua d'eux en les astreignant au travail des briques. On les humilia, on les assujettit à l'esclavage. [12] Ils crièrent vers leur Dieu, qui frappa la terre d'Égypte tout entière de plaies sans remède[b]. Les Égyptiens les chassèrent alors loin d'eux. [13] Devant eux Dieu dessécha la Mer Rouge [14] et les conduisit par le chemin du Sinaï et de Cadès Barné. Après avoir repoussé tous les habitants du désert, [15] ils s'établirent dans le pays des Amorites[c] et, dans leur vigueur, exterminèrent tous les habitants d'Heshbôn. Puis, traversant le Jourdain, ils prirent possession de toute la montagne, [16] expulsant devant soi le Cananéen, le Perizzite, le Jébuséen, les Sichémites ainsi que tous les Girgashites[d], et ils y habitèrent de longs jours. [17] Tant qu'ils ne péchèrent pas en présence de leur Dieu, la prospérité fut avec eux, car ils ont un Dieu qui hait l'iniquité[e]. [18] Quand au contraire ils s'écartèrent de la voie qu'il leur avait assignée, une partie fut complètement détruite en de multiples guerres et le reste fut conduit en captivité dans une terre étrangère. Le temple de leur Dieu fut rasé

---

a) Cf. Gn **41** 56-**42** 5. La Genèse ne dit nulle part que les fils de Jacob demeurèrent en Égypte « tant qu'ils y trouvèrent de la nourriture ». Il y a là une glose midrashique comme on en retrouve en 1 Co **10** 4.

b) Le thème des plaies d'Égypte a souvent été exploité, parfois assez librement, par les écrivains bibliques : Is **10** 24-26; **19** 3-6; Jos **24** 5; Dt **7** 15; **28** 27, 61; Ps **78** 42-51; **105** 27, 36; **135** 8; **136** 10; Ne **9** 10; Si **45** 3; Sg **11** 5-11; **16-18**.

c) Populations sémites établies dès le milieu du 3ᵉ millénaire entre la Méditerranée et l'Euphrate, surtout dans les montagnes de Syrie. Vers 2000 les Amorites peuplent la Transjordanie. Dans la Bible Amorrhéen ou Amorite est souvent synonyme de Cananéen; ici il s'agit de peuples établis à l'est de la mer Morte.

d) Cf. les listes de Ex **33** 2; **34** 11; Dt **7** 1; Jos **9** 1 et encore Esd **9** 1; Ne **9** 8.

e) Cf. Ps **5** 6; Ha **1** 13; Dt **5** 9-10. Si l'Alliance rattache à Dieu le peuple d'Israël, le péché l'en sépare (Is **59** 2) : d'où abandon de la part de Dieu (cf. Ex **33** où Dieu menace de se désolidariser d'Israël « au cou raide »).

et leurs villes tombèrent au pouvoir de leurs adversaires.
23 ¹⁹ Alors ils se retournèrent de nouveau vers leur Dieu,
remontèrent de leur dispersion, des lieux où ils avaient
été disséminés, reprirent possession de Jérusalem où se
trouve leur temple et repeuplèrent la montagne demeurée
24 déserte *a*. ²⁰ Et maintenant, maître et seigneur, s'il y a dans
ce peuple quelque égarement, s'ils ont péché contre leur
Dieu, alors constatons avec soin qu'il y a bien en eux cette
25 cause de chute. Puis montons, attaquons-les. ²¹ Mais s'il
n'y a pas d'injustice dans leur nation, que Monseigneur
s'abstienne, de peur que leur Seigneur et Dieu ne les
protège. Nous serions alors la risée de toute la terre ! »
26   ²² Quand Achior eut cessé de parler, toute la foule
massée autour de la tente se prit à murmurer. Les notables
d'Holopherne, tous les habitants de la côte comme ceux
27 de Moab parlaient de le mettre en pièces. ²³ « Qu'avons-
nous donc à craindre des Israélites ? C'est un peuple sans
28 force ni puissance, incapable de tenir dans un combat un
peu rude. ²⁴ Allons donc ! Montons et ton armée n'en
fera qu'une bouchée, ô notre maître, Holopherne *b* ! »

                                    6. ¹ Quand se fut apaisé
Achior est livré   le tumulte des gens attrou-
aux Israélites.   pés autour du conseil, Holo-
                          pherne, général en chef de
l'armée d'Assur, invectiva Achior devant toute la foule
des étrangers et les Ammonites. ² « Qui es-tu donc, Achior,

---

6 1. « *Ammonites* » *Luc.*; « *Moabites* » *G.*

---

a) Achior redit la thèse prophétique illustrée par Jg **2** 11-19 et par toute
la suite de l'histoire d'Israël. Cf. aussi Ps **106** 40-46.
b) La thèse du sage Achior se basait sur une conception religieuse, yah-
viste, de l'histoire. Holopherne lui oppose une vue tout humaine : seule
la force matérielle peut compter. Tout le livre tend à montrer le bien-fondé
de la thèse d'Achior reprise par Judith (**11** 10).

toi et les mercenaires d'Éphraïm, pour faire le prophète
chez nous comme tu le fais aujourd'hui et pour nous dis-
suader de partir en guerre contre la race d'Israël ? Tu
prétends que leur Dieu les protégera ? Qui donc est dieu
hormis Nabuchodonosor[a] ? C'est lui qui va envoyer sa
puissance et les faire disparaître de la face de la terre, et
ce n'est pas leur Dieu qui les sauvera ! [3] Mais nous, ses
serviteurs, nous les broierons comme un seul homme !
Ils ne pourront contenir la puissance de nos chevaux.
[4] Nous les brûlerons pêle-mêle. Leurs monts s'enivreront
de leur sang et leurs plaines seront remplies de leurs
cadavres. Loin de pouvoir tenir pied devant nous, ils
périront du premier au dernier, dit le roi Nabuchodonosor, le maître de toute la terre. Car il a parlé et ses paroles
ne seront pas vaines. [5] Toi donc, Achior, mercenaire
ammonite, toi qui as proféré ce discours en un moment
d'emportement, à partir d'aujourd'hui tu ne verras plus
mon visage jusqu'au jour où je me serai vengé de cette
engeance évadée d'Égypte[b]. [6] Alors l'épée de mes soldats
et la lance de mes serviteurs te transperceront le flanc.
Tu tomberas parmi les blessés quand je me tournerai
contre Israël. [7] Mes serviteurs vont maintenant te mener
dans la montagne et te laisser près d'une des villes situées
dans les défilés. [8] Tu ne périras pas sans partager leur
ruine. [9] Ne prends pas cet air abattu si tu nourris le secret

---

2. « *Éphraïm* » *avec S AB; cf. LXX en Is* **28** 1 *où H parle de* « *buveurs
d'Éphraïm* »; *la corr.* « *mercenaires d'Ammon* » *de* 19, 108, 58, *VetLat, Syr,
cf.* **6** 5, *est une leçon facile d'un scribe qui n'a pas vu l'allusion biblique.*

6. « *mes soldats* », *litt.* « *mon armée* ». — « *lance* » *avec Syr VetLat;* « *foule* » *G.*

a) Cf. **3** 8 et Dn **3** 14-18. Ce ne sont pas seulement deux peuples qui
s'affrontent, mais deux dieux. Si Israël ne sortait pas vainqueur du conflit,
sa foi serait réputée vaine.

b) Le terme reprend, sur un ton de profond mépris, un détail de l'histoire d'Israël donné par Achior (**5** 12). En **16** 12 Judith s'en souviendra
pour ironiser sur la défaite d'Holopherne.

espoir qu'elles ne seront pas capturées ! J'ai dit; aucune
de mes paroles ne restera sans effet. »

7   ¹⁰ Holopherne ordonna aux gens de service dans sa
tente de saisir Achior, de le mener à Béthulie et de le
8 remettre aux mains des Israélites. ¹¹ Les serviteurs le
prirent donc, le conduisirent hors du camp à travers la
plaine et de là, prenant la direction de la montagne, ils
parvinrent aux sources situées en contre-bas de Béthulie.
¹² Quand les hommes de la ville les virent, ils prirent leurs
armes, sortirent de la cité et gagnèrent la crête de la montagne, tandis que, pour les empêcher de monter, les fron-
9 deurs les criblaient de pierres. ¹³ Aussi purent-ils tout
juste se glisser au bas des pentes, ligoter Achior et le laisser
étendu au pied de la montagne avant de s'en retourner
vers leur maître*a*.

10   ¹⁴ Les Israélites descendirent alors de leur ville, s'arrê-
tèrent près de lui, le délièrent, le conduisirent à Béthulie
11 et le présentèrent aux chefs*b* de la cité, ¹⁵ qui étaient alors
Ozias, fils de Michée, de la tribu de Siméon*c*, Chabris,
fils de Gothoniel, et Charmis, fils de Melchiel. ¹⁶ Ceux-ci
convoquèrent les anciens de la ville. Les jeunes gens et

---

12. *Avec* 58, *VetLat, Syr, nous omettons* « *sur la crête de la montagne* » *après*
« *les hommes de la ville* ». *Dittographie avec la fin du v.*

---

a) L'intention d'Holopherne était de faire remettre Achior aux mains
des Juifs (**6** 7). Tenus à l'écart par les habitants, les Assyriens l'aban-
donnent au pied de la colline.

b) Nous traduisons par « chefs » le terme grec « archontes » qui ne
correspond à aucune charge municipale bien précise. Dans la version
grecque de l'A. T. il traduit de multiples mots hébreux indiquant des
fonctions très diverses (roi, chef, maître, gouverneur). En **8** 10 Chabris
et Charmis seront dits « anciens » de la ville.

c) L'auteur du livre paraît s'être intéressé spécialement à la tribu de
Siméon, pourtant bien effacée dans l'histoire d'Israël. Le nom d'Ozias
rappelle celui d'Oziel (**1** Ch **4** 42) recensé parmi les gens de cette tribu.
En **9** 2-4 Judith réhabilite le Patriarche, blâmé en Gn **34** 30 et **49** 5-7.

les femmes accoururent aussi à l'assemblée. Ozias interrogea Achior, debout au milieu du peuple, sur ce qui
12 était arrivé. ¹⁷ Prenant la parole, il leur fit connaître les
délibérations du conseil d'Holopherne, tout ce qu'il avait
lui-même dit parmi les chefs assyriens, ainsi que les rodomontades d'Holopherne à l'adresse de la maison d'Israël.
14 15 ¹⁸ Alors le peuple se prosterna, adora Dieu et cria : ¹⁹ « Seigneur, Dieu du ciel, considère leur orgueil démesuré et
prends en pitié l'humiliation de notre race. En ce jour
tourne un visage favorable vers ceux qui te sont consa
16 19 crés[a]. » ²⁰ Puis on rassura Achior, vivement félicité. ²¹ Au
sortir de la réunion, Ozias le prit chez lui et offrit un banquet aux anciens. Durant toute cette nuit-là on implora
le secours du Dieu d'Israël.

II

LE SIÈGE DE BÉTHULIE

**Campagne
contre Israël.**

7. ¹ Le lendemain, Holopherne fit donner ordre à
toute son armée et à toute
la foule des auxiliaires qui
s'étaient rangés à ses côtés, de lever le camp pour se porter
sur Béthulie, d'occuper les hautes passes de la montagne
et d'engager ainsi la guerre contre les Israélites. ² En ce
même jour tous les hommes d'armes levèrent donc le
camp. Leur armée sur pied de guerre comprenait cent

---

a) Ce terme traduit l'hébreu *qadoš* qui implique une idée de consécration, de mise à part. Telle était la situation d'Israël envers Yahvé du fait
de l'Alliance (cf. Dn **7** 27 G et **8** 24).

vingt mille fantassins et douze mille cavaliers, non comptés les bagages et la multitude considérable des gens de pied mêlés à eux. ³ Ils s'engagèrent dans le vallon proche de Béthulie en direction de la source et se déployèrent en profondeur, de Dotaïn jusqu'à Belbaïn, et en longueur de Béthulie jusqu'à Cyamôn, situé en face d'Esdrelon*a*. ⁴ Quand les Israélites aperçurent cette multitude, tout tremblants ils se dirent entre eux : « Et maintenant ils vont tondre*b* tout le pays ! Ni les cimes les plus élevées, ni les gorges, ni les collines ne pourront tenir sous leur masse ! » ⁵ Chacun prit ses armes, sur les tours des feux furent allumés*c* et l'on passa cette nuit-là à veiller.

⁶ Le deuxième jour Holopherne déploya toute sa cavalerie sous les yeux des Israélites qui étaient à Béthulie. 6 ⁷ Il explora les montées qui conduisaient à leur ville, reconnut les sources d'eau, les occupa*d*, y plaça des postes 8 de soldats et revint lui-même à son armée. ⁸ Puis, les princes des fils d'Ésaü*e*, les chefs du peuple des Moabites et les généraux du district côtier s'approchèrent de lui et lui dirent : ⁹ « Que notre maître veuille bien nous écouter et son armée n'aura pas une seule blessure. ¹⁰ Ce peuple

---

7 2. « 120.000 » *Vulg, cf.* **2** 15 ; « 170.000 » *G.*

a) Plusieurs des localités énumérées ont déjà été citées en **4** 4 (Belbaïn = Belmaïn de **4** 4). Cyamôn (Vulg *Chelmon*) est inconnu (on le place parfois dans les environs d'Affûlé, à 14 km. N. de Djenin).

b) « Tondre », litt. « lécher ». L'image est celle du bétail qui tond les prés de sa langue.

c) Cf. 1 M **12** 28-29.

d) D'après Vulg Holopherne reconnaît et fait couper un aqueduc qui amenait l'eau par le sud de la ville. Ceci supposerait Holopherne maître de la région méridionale et par suite des routes menant à Jérusalem, ce qui est contraire à la situation supposée en **8** 21, mais se comprendrait si la ville assiégée était Jérusalem comme le voudraient certaines traditions. Cf. Introd., p. 15.

e) Archaïsme pour les « fils d'Édom ». Édom et Moab sont toujours présentés comme les ennemis traditionnels d'Israël. Vulg lit : « les Ammonites et les Moabites ».

des Israélites ne compte pas tant sur ses lances que sur la hauteur des monts où il habite. Il n'est certes pas facile d'escalader les cimes de ses montagnes[a] !

11 « Alors, maître, ne combats pas contre eux en bataille rangée, et pas un homme de ton peuple ne tombera. 12 Reste dans ton camp et gardes-y tous les hommes de ton armée, mais que tes serviteurs s'emparent de la source qui jaillit au pied de la montagne. 13 C'est là en effet que se ravitaillent en eau les habitants de Béthulie. La soif les poussera donc à te livrer leur ville. Pendant ce temps nous et nos gens nous monterons sur les crêtes des monts les plus proches et nous y camperons en avant-postes : ainsi pas un seul homme ne sortira de la ville. 14 La faim les consumera, eux, leurs femmes et leurs enfants, et, avant même que l'épée ne les atteigne, ils seront déjà étendus dans les rues devant leurs demeures. 15 Et tu leur feras payer fort cher leur révolte et leur refus de venir pacifiquement à ta rencontre. »

16 Leurs propos plurent à Holopherne ainsi qu'à tous ses officiers et il décida d'agir selon leurs suggestions. 17 Une troupe de Moabites partit donc et avec eux cinq mille Assyriens[b]. Ils se glissèrent dans le vallon et s'emparèrent des points d'eau et des sources des Israélites. 18 Les Édomites et les Ammonites montèrent de leur côté, prirent position dans la montagne en face de Dotaïn, et envoyèrent

---

17. « *Moabites* » *avec* 19, 108, *VetLat Syr* ; « *Ammonites* » *G, mais ils sont de nouveau nommés au v.* 18.

---

a) Israël passe pour un peuple de montagnards. En 1 R **20** 23, 28, Yahvé est considéré comme un Dieu des montagnes, invincible chez lui, mais impuissant dans la plaine. Cf. Ps **68** 15 où le vocable « El-Shaddaï », « Dieu Tout-Puissant » est mis en relation avec les victoires de Yahvé dans la montagne de Canaan; cf. assyrien *shâdu,* « montagne ».

b) Ici comme en **10** 17 les chiffres donnés sont disproportionnés à la mission qu'il s'agit de remplir.

de leurs hommes au sud et à l'est en face d'Égrebel qui est près de Chous, sur le torrent de Mochmour[a]. Le reste de l'armée assyrienne prit position dans la plaine et couvrit toute la région. Tentes et bagages formaient un campement d'une masse énorme car leur multitude était considérable.

[19] Les Israélites crièrent vers le Seigneur leur Dieu. Ils perdaient courage, car les ennemis les avaient entourés

11 et leur coupaient toute retraite. [20] Durant trente-quatre jours l'armée assyrienne, fantassins, chars et cavaliers, les tint encerclés. Les habitants de Béthulie virent se vider toutes les jarres d'eau [21] et les citernes s'épuiser. On ne pouvait plus boire à sa soif un seul jour, car l'eau était rationnée. [22] Les enfants s'affolaient, les femmes et les adolescents défaillaient de soif. Ils tombaient dans les rues et aux issues des portes de la ville[b], sans force aucune.

12   [23] Tout le peuple, adolescents, femmes et enfants, se rassembla autour d'Ozias et des chefs de la ville, poussant de grands cris et disant en présence de tous les anciens :

13 [24] « Que Dieu soit juge entre vous et nous, car vous nous avez causé un immense préjudice en ne traitant pas amicalement avec les Assyriens. [25] Maintenant, il n'y a plus

14 personne qui puisse nous secourir. Dieu nous a livrés entre leurs mains pour être terrassés par la soif en face

15 d'eux et périr totalement. [26] Appelez-les donc tout de

---

a) On a cherché à identifier les trois sites ici nommés respectivement avec Akraba, Quzeh et Makhueh, localités qui se trouvent dans un rayon d'environ 12 km. au S.-E. et S. de Nablus. L'armée assyrienne serait établie bien bas. A moins de localiser Béthulie dans la région d'El-Lubban (15 km. S. de Nablus). Elle serait alors trop loin de la plaine d'Esdrelon qui sert en 4 6 à déterminer son emplacement. Surtout, tenir compte du genre littéraire du livre, volontairement imprécis; cf. note à 7 7.

b) Il faut entendre les passages en chicane ménagés dans les tours de garde qui défendaient l'entrée des villes cananéennes et israélites (cf. 2 S 3 27).

suite. Livrez entièrement la ville au pillage des gens d'Ho-
16 lopherne et de toute son armée. ²⁷ Après tout, il vaut bien
mieux pour nous devenir leur proie. Ainsi nous serons
esclaves sans doute, mais nous vivrons et nous ne verrons
pas de nos yeux la mort de nos petits, ni le trépas de nos
17 femmes et de nos enfants. ²⁸ Nous vous adjurons par le
ciel et la terre ainsi que par notre Dieu, le Seigneur de
nos pères, qui nous punit à cause de nos fautes et pour
les transgressions de nos pères[a], d'agir de cette façon
aujourd'hui même. » ²⁹ L'assemblée tout entière se livra
18 à une immense lamentation et tous crièrent à haute voix
vers le Seigneur Dieu[b].

23   ³⁰ Ozias leur dit : « Courage, frères, tenons encore cinq
24 jours. D'ici là le Seigneur notre Dieu aura pitié de nous,
car il ne nous abandonnera pas jusqu'au bout ! ³¹ Si, ce
25 délai écoulé, aucun secours ne nous est parvenu[c], alors
je suivrai votre avis. » ³² Puis il congédia le peuple, chacun dans ses quartiers. Les hommes s'en allèrent sur les

---

28. « *Nous vous adjurons... d'agir* »; *G : « que vous n'agissiez pas ». Nous
omettons la négation avec S, VetLat (« ut faciatis »), Vulg (« ut jam tradatis
civitatem »). La négation est un décalque de la locution hébraïque de serment : îm
lo', de sens positif. Nous lisons le verbe à la 2ᵉ pers. pl. avec VetLat, Vulg, et
non à la 3ᵉ avec G.*

---

a) Le v. 28 atteste la croyance à une rétribution morale individuelle
tout en demeurant dans la ligne de l'antique foi d'Israël à la solidarité du
peuple dans la faute et le châtiment (cf. Lm 5 7).
b) Vulg exprime ainsi la prière du peuple : « Nous avons péché avec nos
pères, nous avons agi injustement, nous avons commis l'iniquité. Toi
qui es miséricordieux, aie pitié de nous. Ou du moins, si tu châties de tes
coups nos iniquités, ne livre pas ceux qui se confient en toi à un peuple
qui ne te connaît pas, afin que l'on ne dise pas parmi les nations : Où donc
est leur Dieu ? » (cf. Ps 106 6; Jl 2 17).
c) Ce discours d'Ozias prépare celui que tiendra Judith (8 11-27).
Autant Judith fera preuve de sens religieux, de confiance et de décision,
autant Ozias apparaît aux vv. 30 et 31 comme un chef qui encourage sans
conviction et ne peut s'empêcher de se montrer réticent dans sa confiance
en Dieu.

remparts et les tours de la cité, renvoyant femmes et enfants à la maison. La ville était plongée dans une profonde consternation.

III

JUDITH

8. [1] En ces mêmes jours, **Présentation de Judith.** Judith[a] fut informée de ces faits. Elle était fille de Merari, fils d'Ox, fils de Joseph, fils d'Oziel, fils d'Elkia, fils d'Ananias, fils de Gédéon, fils de Raphen, fils d'Achitob, fils d'Élias, fils d'Helkias, fils d'Éliab, fils de Nathanaël, fils de Salamiel, fils de Sarasadé, fils d'Israël[b]. [2] Son mari, Manassé, de même tribu et de même famille, était mort à l'époque de la moisson des orges. [3] Il surveillait les lieurs de gerbes dans les champs quand, frappé d'insolation, il dut s'aliter et mourut dans sa ville, à Béthulie, où on l'ensevelit avec ses pères dans le champ situé entre Dotaïn

---

8 1. *Après « fils d'Israël », quelques Mss grecs, VetLat et Syr ajoutent « fils de Siméon » ; Vulg ajoute « fils de Siméon, fils de Ruben ». La place même de ces mentions les rend suspectes.*

---

a) Le nom de Judith apparaît en Gn **26** 34, porté par une femme étrangère d'Ésaü. On peut penser que l'auteur ne s'est pas spécialement référé à ce passage pour donner un nom à son héroïne, mais qu'il a choisi ce nom pour sa signification : « la Juive ». Judith est en effet le type de la vraie fille d'Israël. Dans son chant de triomphe (**16** 3 s) elle se présente d'ailleurs comme une personnification de la nation.

b) La généalogie de Judith ne comporte pas, dans le texte grec le plus commun, le nom de Siméon, auquel Judith se réfère en **9** 2. De ce fait aucun nom patronymique de tribu n'est signalé, mais le v. 2 suppose une telle mention. Un Sarasadé (Çurishaddaï) est cité en Nb **1** 6 dans la tribu de Siméon.

et Balamôn[a]. ⁴ Devenue veuve, Judith vécut en sa maison
durant trois ans et quatre mois. ⁵ Sur la terrasse elle s'était
aménagé une chambre haute[b]. Elle portait un sac sur les
reins, se vêtait d'habits de deuil, ⁶ et jeûnait tous les jours
de son veuvage, hormis les veilles de sabbat[c], les sabbats,
les veilles de néoménies, les néoménies, ainsi que les jours
de fête et de liesse de la maison d'Israël. ⁷ Or elle était
très belle et d'aspect charmant. Son mari Manassé lui
avait laissé de l'or, de l'argent, des serviteurs, des servantes, des troupeaux et champs, et elle habitait au
milieu de tous ses biens ⁸ sans que personne eût rien à lui
reprocher, car elle craignait Dieu grandement[d].

**Judith
et les anciens.**

⁹ Elle apprit donc que le
peuple, découragé par la
pénurie d'eau, avait mur-
muré contre le chef de la
cité. Elle sut aussi tout ce qu'Ozias leur avait dit et comment il leur avait juré de livrer la ville aux Assyriens au
bout de cinq jours. ¹⁰ Alors elle envoya la servante pré-
posée à tous ses biens appeler Chabris et Charmis, anciens
de la ville. ¹¹ Quand ils furent chez elle, elle leur dit :

« Écoutez-moi, chefs des habitants de Béthulie. Vraiment vous avez eu tort de parler aujourd'hui comme vous

---

a) Balamôn est probablement une autre orthographe de Belmaïn-Bel-
baïn (**4** 4, 6; **7** 3). — De ce v. rapprocher 2 R **4** 18 s. — La mention de la
sépulture de Manassé « dans le champ » et « dans la caverne » (**16** 23) est
une référence archaïsante à Gn **23** 17-19 et **25** 7-10.

b) De telles « chambres hautes » sont souvent mentionnées dans l'histoire biblique : 2 S **19** 1; 2 R **4** 10. En Jg **3** 20 il s'agit d'une chambre d'été.
En Ne **8** 16 il est question de la cabane de feuillage construite pour la fête
des Tentes. Il s'agit toujours de constructions légères, mais parfois confor-
tables. Celle de Judith devait être plus rudimentaire, elle en fait une retraite
austère.

c) Les veilles de sabbat ou de néoménies seront assimilées aux solennités elles-mêmes dans la législation talmudique. Vulg en a omis la mention.

d) La liturgie du propre de France a repris cet éloge pour l'appliquer
à Jeanne d'Arc (Ant. des 1ʳᵉˢ Vêpres).

l'avez fait devant le peuple et de vous engager contre Dieu, en faisant serment de livrer la ville à nos ennemis si le Seigneur ne vous portait secours dans le délai fixé ! [12] Allons ! Qui donc êtes-vous pour tenter Dieu en ce jour et pour vous dresser au-dessus de lui parmi les enfants des hommes ? [13] Et maintenant vous mettez le Seigneur Tout-Puissant à l'épreuve ! Vous ne comprendrez donc rien au grand jamais ! [14] Si vous êtes incapables de scruter les profondeurs du cœur de l'homme et de démêler les raisonnements de son esprit, comment donc pourrez-vous pénétrer le Dieu qui a fait toutes ces choses, scruter sa pensée et comprendre ses desseins ? Non, frères, gardez-vous d'irriter le Seigneur votre Dieu ! [15] S'il n'est pas dans ses intentions de nous sauver avant cette échéance de cinq jours, il peut nous protéger dans le délai qu'il voudra, comme il peut nous détruire à la face de nos ennemis. [16] Mais vous, n'exigez pas de garanties envers les desseins du Seigneur notre Dieu. Car on ne met pas Dieu au pied du mur comme un homme, on ne lui fait pas de sommations comme à un fils d'homme. [17] Dans l'attente patiente de son salut, appelons-le plutôt à notre secours. Il écoutera notre voix si tel est son bon plaisir[a].

[18] « A vrai dire, il ne s'est trouvé, naguère pas plus qu'aujourd'hui, ni une de nos tribus, ni une de nos familles, ni un de nos bourgs, ni une de nos cités qui se soit prosterné devant des dieux faits de main d'homme, comme cela s'est produit jadis, [19] ce qui fut cause que nos pères furent livrés à l'épée et au pillage et succombèrent misé-

---

a) De cette première partie du discours de Judith (vv. 11-17) on peut rapprocher Jb **38** 2; **40** 2, 7-8 et **40** 4-5; **42** 3. Comme Job les anciens de Béthulie ont tort de discuter les desseins divins. Une même solution est indiquée : s'humilier et se taire. Mais l'auteur de Judith ouvre plus largement la porte que l'auteur du livre de Job à une confiance filiale envers Dieu. Sa conception de l'efficacité de la prière est déjà chrétienne.

rablement devant leurs ennemis. ²⁰ Mais nous, nous ne connaissons pas d'autre Dieu que Lui. Aussi pouvons-nous espérer qu'il ne nous regardera pas avec dédain et ne se détournera pas de notre race ᵃ.

²¹ « Si en effet on s'empare de nous, comme vous l'envisagez, toute la Judée aussi sera prise et nos lieux saints pillés ᵇ. Notre sang devra alors répondre de leur profanation. ²² Le meurtre de nos frères, la déportation du pays, le dépeuplement de notre héritage retomberont sur nos têtes parmi les nations dont nous serons devenus les esclaves et nous serons alors pour nos nouveaux maîtres un scandale et une honte, ²³ car notre servitude n'aboutira pas à un retour en grâce, mais le Seigneur notre Dieu en fera une punition infamante. ²⁴ Et maintenant, frères, mettons-nous en avant pour nos frères, car leur vie dépend de nous, et ce que nous avons de plus sacré, le Temple et l'autel, repose sur nous.

21   ²⁵ « Pour toutes ces raisons, rendons plutôt grâces au Seigneur notre Dieu qui nous met à l'épreuve, tout comme
22   nos pères ᶜ. ²⁶ Rappelez-vous tout ce qu'il a fait à Abraham,

---

a) Les vv. 18-20 redisent la thèse déjà affirmée par Achior (**5** 20-21) et que reprendra Judith devant Holopherne (**11** 10). Ici Judith fait avec ses compatriotes un examen de conscience national (cf. Ps **78** 56-64; **106** 13-43; Ez **16** 15-58; **20** 37-39 et les jugements inexorables prononcés par Jérémie : Jr **7** 17-20; **14** 7-**15** 9; etc.). L'idolâtrie dénoncée par les Prophètes comme le mal actuel est considérée ici comme inexistante dans le peuple. Ceci correspond assez bien à l'état religieux de la nation à l'époque du second Temple, malgré certaines relations avec les peuples païens ou syncrétistes environnants (cf. Esd **9** 1-4; **10** 1-44; Ne **13** 1-9, 23-31) que notre auteur veut ignorer.

b) La présence du Temple au milieu de la nation n'est plus considérée comme une protection assurée, comme au temps de Jérémie (Jr **7** 3-4, 12-15).

· *c*) L'auteur trouve dans l'histoire patriarcale une interprétation du malheur du juste que l'auteur de Job n'avait pas su en dégager. Un tel malheur est une épreuve, nullement une punition. Il se réfère à Gn **22** 1-19; **27** 1; **28** 5; **29** 22-30; **32** 3-33 20. En fait, les épreuves d'Isaac ne

toutes les épreuves d'Isaac, tout ce qui arriva à Jacob en Mésopotamie de Syrie alors qu'il gardait les brebis de Laban, son oncle maternel. [27] Car, comme il les éprouva pour scruter leur cœur, de même ce n'est pas une vengeance que Dieu tire de nous, mais c'est plutôt un avertissement dont le Seigneur frappe ceux qui le touchent de près[a]. »

[28] [28] Ozias lui répondit : « Tout ce que tu viens de dire, tu l'as dit dans un excellent esprit et personne n'y contredira. [29] Bien sûr, ce n'est pas d'aujourd'hui que se manifeste ta sagesse. Dès ta prime jeunesse le peuple tout entier a reconnu ton intelligence tout comme l'excellence foncière de ton cœur. [30] Mais les gens avaient tellement soif ! Ils nous ont contraints de faire ce que nous leur avions promis et de nous y engager par un serment irré-[29] vocable[b]. [31] Et maintenant, puisque tu es une femme pieuse, prie le Seigneur de nous envoyer une averse qui remplisse nos citernes afin que nous ne soyons plus épuisés. »

[30] — [32] « Écoutez-moi bien, leur répondit Judith. Je vais accomplir une action[c] dont le souvenir se transmettra aux [32] enfants de notre race d'âge en âge. [33] Vous, trouvez-vous cette nuit à la porte de la ville. Moi, je sortirai avec ma servante et, avant la date où vous aviez pensé livrer la ville

---

27. *La première négation* où *est explétive. Omise par* 58 *et Syr.*

---

sont guère mentionnées dans la Genèse, mais on ne pouvait omettre son nom dans l'énumération traditionnelle. Le judaïsme postérieur (*Jubilés, Talmud de Babylone*) parlera des dix tentations d'Abraham.

a) Cette proximité est à entendre de l'intimité existant entre Dieu et son peuple du fait de l'Alliance (cf. Dt 4 7).

b) Ozias, réduit à s'excuser devant Judith, à rejeter la responsabilité de son attitude sur « les gens », fait piètre figure à côté de l'héroïne.

c) Esther ne prend sa décision qu'après trois jours de jeûne (Est 4 15-5 1), Judith a tôt fait de déterminer un plan d'action, de se décider et sa prière tendra à implorer l'aide de Dieu pour la réalisation de ce plan (9 9-10, 12). Elle se montre d'ailleurs assurée du succès.

à nos ennemis, par mon entremise le Seigneur visitera
33 Israël. ³⁴ Quant à vous, ne cherchez pas à connaître ce
que je vais faire. Je ne vous le dirai pas avant de l'avoir
34 exécuté. » — ³⁵ « Va en paix ! lui dirent Ozias et les chefs.
Que le Seigneur Dieu te conduise pour tirer vengeance
de nos ennemis ! » ³⁶ Et, quittant la chambre haute*ᵃ*, ils
rejoignirent leurs postes.

Prière de Judith. 9. ¹ Judith tomba le visage contre terre, répandit
de la cendre sur sa tête, découvrit le sac dont elle était revêtue et, à haute voix, cria
vers le Seigneur. C'était l'heure où, à Jérusalem, au Temple
de Dieu, on offrait l'encens du soir*ᵇ*. Elle dit*ᶜ* :

² Seigneur, Dieu de mon père Siméon,
tu l'armas d'un glaive vengeur contre les étrangers
qui défirent la ceinture d'une vierge, à sa honte,
mirent son flanc à nu, à sa confusion,
et profanèrent son sein, à son déshonneur;
car tu as dit : « Cela ne sera pas », et ils le firent.
³ C'est pourquoi tu as livré leurs chefs au meurtre,
et leur couche, avilie par leur duperie, au sang.

---

9 2. *Lire* μίτραν (*et non* μήτραν *avec* G) *avec le sens de* « *ceinture* ». *L'expression* λύειν μίτραν *a le sens de* « *se marier avec* », *ici* : « *avoir relation avec* ».

a) Cf. **8** 5.
b) L'auteur se réfère souvent à Jérusalem, au Temple, au culte, au grand prêtre (**4** 2-3, 6-8; **5** 19; **8** 21-24; **9** 8-13; **15** 8; **16** 18) : cf. Introd., p. 16. Pour l'encens du soir, cf. Ex **30** 7-8 et Ps **141** 2.
c) La prière de Judith peut se diviser ainsi : 1ʳᵉ strophe (vv. 2-4) : rappel de l'histoire de Dina, fille de Jacob, violée par les Sichémites et vengée par Siméon et Lévi (Gn **34**, cf. note à **6** 15); 2ᵉ strophe (vv. 5-7) : prière de Judith qui met en opposition sa faiblesse et sa confiance en Dieu avec la présomption impie des ennemis (cf. **5** 23; **6** 2); 3ᵉ strophe (vv. 8-10) : prière pour le châtiment des Assyriens, orgueilleux et sacrilèges; 4ᵉ strophe (vv. 11-14) : reprise du même thème après un développement hymnique. L'auteur s'inspire de Ex **15** 1-3, 7, 17 (cf. vv. 7, 9, 11-13).

Tu as frappé les esclaves avec les princes
et les princes avec leurs serviteurs.

3 4 Tu as livré leurs femmes au rapt
et leurs filles à la captivité,
et toutes leurs dépouilles au partage,
au profit de tes fils préférés
qui avaient brûlé de zèle pour toi,
avaient eu horreur de la souillure infligée à leur sang
et t'avaient appelé à leur secours.

O Dieu, ô mon Dieu,
exauce la pauvre veuve que je suis,

4 5 puisque c'est toi qui as fait le passé
et ce qui arrive maintenant et ce qui arrivera plus tard.
Le présent et l'avenir, tu les as conçus,
et ce qui est arrivé c'est ce que tu avais dans l'esprit.
6 Tes desseins se présentèrent
et dirent : « Nous sommes là[a] ! »
Car toutes tes voies sont préparées
et tes jugements portés avec prévoyance.

7 Voici les Assyriens : ils se prévalent de leur armée,
se glorifient de leurs chevaux et de leurs cavaliers,
se targuent de la valeur de leurs fantassins.
Ils ont compté sur la lance et le bouclier,
sur l'arc et sur la fronde[b] ;

---

3. « les princes avec leurs serviteurs » conj. d'après 9 10 ; cf. Sg 18 11.

---

a) Cf. Ba 3 35. La personnification des « desseins de Dieu » est à rapprocher de celle de la Sagesse divine dans les livres sapientiaux. Ici, il ne s'agit pas de présider à la création mais à la direction de l'histoire.

b) La présomption des païens, fiers de leur force militaire, a toujours été un scandale pour Israël (Ha 1 12-17), et une raison d'attendre avec confiance l'aide de Dieu (Dt 20 1 ; 2 M 8 18). D'où les malédictions des Prophètes contre les alliances militaires (cf. Is 30 1-5 ; 31 1-3 ; etc.) et leurs sarcasmes contre la course aux armements (Is 22 10-11 ; Ps 33 16-17).

4

10 et ils n'ont pas reconnu en toi
    le Seigneur briseur de guerres[a].
    8 A toi le nom de Seigneur !

11 Et toi, brise leur violence par ta puissance,
    fracasse leur force dans ta colère !
    Car ils ont projeté de profaner tes lieux saints,
    de souiller la tente où siège ton Nom glorieux
    et de renverser par le fer la corne de ton autel.

12 9 Regarde leur outrecuidance[b],
    envoie ta colère sur leurs têtes,
    donne à ma main de veuve
    la vaillance escomptée[c].
    10 Par la ruse de mes lèvres,
    frappe l'esclave avec le chef
    et le chef avec son serviteur[d].
    Brise leur arrogance
    par une main de femme.

    11 Ta force ne réside pas dans le nombre,
    ni ton autorité dans les violents,
    mais tu es le Dieu des humbles,
    le secours des opprimés,
    le soutien des faibles,
    l'abri des délaissés,
    le sauveur des désespérés[e].

---

a) Jdt **16** 2.

b) Cf. Ez **25** 6-7, 15 ; **28** 6-10 ; **30** 6 ; **31** 10 ; Ha **2** 4-5. Dieu a en suprême aversion l'orgueil des nations.

c) Allusion à la « décision » prise en **8** 32.

d) Cf. Sg **18** 11 et plus haut v. 3. La prière de Judith ne laisse pas de surprendre quelque peu surtout si on la rapproche de Ps **120** 2 qui contient une expression semblable. L'auteur s'est souvenu, en évoquant ces sentiments, que Judith était femme et qu'elle était juive (cf. encore vv. 13-14).

e) Ce v. exprime toute la religion des « pauvres », des pieux Israélites

¹⁷

¹² Oui, oui, Dieu de mon père,
　　Dieu de l'héritage d'Israël,
　　Maître du ciel et de la terre,
　　Créateur des eaux,
　　Roi de tout ce que tu as créé,
　　toi, exauce ma prière.
¹³ Donne-moi un langage séducteur ^a,
　　pour blesser et pour meurtrir
　　ceux qui ont formé de si noirs desseins
　　contre ton alliance ^b
　　et ta sainte demeure
　　et la montagne de Sion
　　et la maison qui appartient à tes fils.
¹⁹ ¹⁴ Et fais connaître à tout peuple et à toute tribu
　　que tu es le Seigneur, Dieu de toute puissance et de
　　et que le peuple d'Israël　　　　　　　[toute force,
　　n'a d'autre protecteur que toi.

14^a. *B lit :* « *à tout ton peuple* »; 609 : « *à tout ton peuple par tribus* ».

14^b. « *le Seigneur, Dieu...* », *grec :* Θεός, Θεός, *phraséologie des psaumes retouchés par l'élohiste* (Ps **45** 8; **50** 7); *ici et en* **13** 11 *nous rétablissons la nuance entre les deux mots.*

---

dominés par un état social qui les écrase, par des événements malheureux ou par le mépris de ceux qui se croient justes parce qu'ils prospèrent. Dieu est tout pour eux. Un intérêt religieux national augmente ici l'acuité de l'angoisse personnelle.

a) Cf. Est **4** 17 s : Esther demande à Dieu « un langage charmeur ». Plus audacieuse Judith demande un langage capable de séduire Holopherne (Vulg « des paroles aimables »). Plus qu'Esther elle joue la carte de la séduction (cf. **10** 4, 7, 14, 19, 23; **11** 20, 23; **12** 15; **16** 6, 9).

b) Cf. Dn **11** 28. Les buts que se propose Judith sont nettement énoncés aux vv. 13-14. Il s'agit de réduire à néant les desseins d'Holopherne qui attaque ce qu'il y a de plus saint en Israël. Ainsi tous les peuples, Israël compris (selon Ms B), sauront qu'il peut vraiment compter sur son Dieu (cf. Ez **20** 22; **28** 25 s). Dieu se doit donc de faire triompher Judith, par ses armes à elle.

IV

JUDITH ET HOLOPHERNE

Judith se rend auprès d'Holopherne.

10. ¹ Ainsi criait Judith vers le Dieu d'Israël. Au terme de sa prière, ² elle se releva de sa prostration, appela sa servante, descendit dans l'appartement où elle se tenait aux jours de sabbat et de fête*ᵃ*. ³ Là, ôtant le sac qui l'enveloppait et quittant ses habits de deuil, elle se baigna, s'oignit de gras parfums, peigna sa chevelure, ceignit un turban et revêtit le costume de joie qu'elle mettait du vivant de son mari Manassé. ⁴ Elle chaussa ses sandales, mit ses colliers, ses anneaux, ses bagues, ses pendants d'oreilles, tous ses bijoux, elle se fit aussi belle que possible pour séduire les regards de tous les hommes qui la verraient*ᵇ*. ⁵ Puis, elle donna à sa servante une outre de vin et une cruche d'huile, remplit une besace de galettes de farine d'orge, de gâteaux de fruits secs et de pains purs*ᶜ*, et lui remit toutes ces provisions empaquetées. ⁶ Elles

---

10 5. « *provisions* »; *le grec* ἀγγεῖα *rend l'hébreu* kᵉlî, « *objets en général* ». *Il ne s'agit pas ici de vaisselle mais de ce qui vient d'être énuméré.* — « *pains purs* » *avec* B ; « *pains* » *Ms* P₃ ; « *pain et fromage* » *Ms* 58, *VetLat, Pesh.*

---

a) Cf. **8** 6.

b) Le texte grec ne voile pas les desseins de Judith, qu'il a d'ailleurs justifiés en **9** 13. Vulg écrit : « Le Seigneur accrut encore son éclat parce que tout cet ajustement n'était pas inspiré par la volupté mais par son courage ». Rapprocher Est **5** 1, surtout selon le texte grec (suivi par Vulg **15** 4-5). Cf. aussi Gn **38** 14 et Is **3** 20 (LXX) pour l'énumération.

c) Cf. 1 S **17** 17-19. Judith semble plus scrupuleuse qu'Esther sur les exigences de la pureté légale (cf. Est **4** 17ˣ et sa conduite dans les différents banquets auxquels elle assiste), plus exigeante même que ne l'était la Loi (cf. Lv **17** 10-14; Nb **19** 14 s) : ainsi il n'est pas question de pains rituels dans la Loi. Ceci se ressent des minuties pharisiennes. Cf. 1 S **25** 18 (LXX).

sortirent alors dans la direction de la porte de Béthulie.
Elles y trouvèrent posté Ozias, avec deux anciens de la
ville, Chabris et Charmis. ⁷ Quand ils virent Judith le
visage transformé et les vêtements changés, sa beauté les
jeta dans la plus grande stupéfaction. Alors ils lui dirent :

⁸ « Que le Dieu de nos pères te tienne en sa bienveillance !
   Qu'il donne accomplissement à tes desseins
   pour la glorification des enfants d'Israël
   et pour l'exaltation de Jérusalem ! »

⁹ Judith adora Dieu et leur dit : « Faites-moi ouvrir la
porte de la ville, que je puisse sortir et réaliser tous les
souhaits que vous venez de m'exprimer. » Ils ordonnèrent
donc aux jeunes gardes de lui ouvrir comme elle l'avait
demandé. ¹⁰ Ils obéirent et Judith sortit avec sa servante,
suivie du regard par les gens de la ville pendant toute la
descente de la montagne jusqu'à la traversée du vallon.
Puis ils ne la virent plus.

¹¹ Comme elles marchaient droit devant elles dans le vallon, un poste avancé d'Assyriens se porta à leur rencontre
¹² et, se saisissant de Judith, ils l'interrogèrent. « De quel
parti es-tu ? D'où viens-tu ? Où vas-tu ? » — « Je suis,
répondit-elle, une fille des Hébreux et je m'enfuis de chez
eux, car ils ne seront pas longs à vous servir de pâture.
¹³ Et je viens voir Holopherne, le général de votre armée,
pour lui donner des renseignements sûrs*ᵃ*. Je lui montrerai

---

a) L'auteur ne se fait pas scrupule de mettre dans la bouche de Judith
les plus vives protestations de véracité (cf. **11** 5, 10) alors qu'elle est décidée
à tromper Holopherne (**11** 12-19). Ce faisant il se place toujours dans le
contexte moral de l'époque patriarcale (Gn **27** 1-25 ; **34** 13-29 ; **37** 32-34)
ou de celle des guerres de Yahvé (ruse de Rahab : Jos **2** 1-7 ; trahison de
Yaël : Jg **4** 17-22). La discrimination du bien et du mal ne se faisait pas
encore comme à une époque plus récente. De même que les rédacteurs
bibliques ont laissé aux vieux récits leur rudesse morale, l'auteur de
Judith se réfère aux anciens âges pour dépeindre l'héroïne de Yahvé.

le chemin par où passer pour se rendre maître de toute la montagne sans perdre un homme ni une vie. » ¹⁴ En l'entendant parler les hommes la regardaient et n'en revenaient pas de la trouver si belle : ¹⁵ « Ç'aura été ton salut, lui dirent-ils, que d'avoir pris les devants et d'être descendue voir notre maître ! Va le trouver dans sa tente, voici des nôtres pour t'accompagner et te remettre entre ses mains. ¹⁶ Une fois devant lui, ne crains rien. Répète-lui ce que tu viens de nous dire, et il te traitera bien. » ¹⁷ Ils détachèrent alors cent de leurs hommes qui se joignirent à elle et à sa servante et les conduisirent auprès de la tente d'Holopherne.

¹⁸ La nouvelle de son arrivée s'étant répandue parmi les tentes, il en résulta dans le camp une agitation générale. Elle était encore à l'extérieur de la tente d'Holopherne, attendant d'être annoncée, que déjà autour d'elle on faisait cercle. ¹⁹ On ne se lassait pas d'admirer son étonnante beauté, et d'admirer par contre-coup les enfants d'Israël. « Qui donc pourrait encore mépriser un peuple qui a des femmes pareilles ? se disait-on à l'envi. Ce ne serait pas bien avisé d'en laisser debout un seul homme ! Les survivants seraient capables de séduire la terre entière ! »

²⁰ Les gardes du corps d'Holopherne et ses aides de camp sortirent enfin et introduisirent Judith dans la tente. ²¹ Holopherne reposait sur un lit placé sous une draperie de pourpre et d'or, rehaussée d'émeraudes et de pierres précieuses. ²² On la lui annonça et il sortit sous l'auvent de la tente[a], précédé de porteurs de flambeaux d'argent.

18

19

---

a) La tente d'Holopherne, telle qu'elle nous est décrite (cf. **12** 1 ; **13** 1-3 ; **14** 14-15), paraît être un pavillon spacieux, aux multiples pièces (cf. Is **54** 2). Il semble que la fantaisie du narrateur se soit donné libre cours dans cette présentation d'une tente d'armée en campagne, fût-elle celle du général en chef.

²³ Quand Judith se trouva en présence du général et de
²⁰ ses aides de camp, la beauté de son visage les stupéfia tous.
Elle se prosterna devant lui, la face contre terre. Mais les
serviteurs la relevèrent.

Première entrevue
de Judith
et d'Holopherne.

11. ¹ « Confiance, femme,
lui dit Holopherne. Ne crains
rien. Je n'ai jamais fait de
mal à personne qui ait choisi
de servir Nabuchodonosor,
roi de toute la terre. ² Maintenant même, si ton peuple de
montagnards ne m'avait pas méprisé, je n'aurais pas levé
la lance contre lui. Ce sont eux qui l'ont voulu. ³ Mais,
dis-moi, pourquoi t'es-tu enfuie de chez eux pour venir
chez nous ?... En tous cas ç'aura été ton salut ! Courage !
Cette nuit-ci te verra encore en vie, et les autres aussi !
⁴ Personne ne te fera de mal, va ! mais on te traitera bien,
comme cela se pratique avec les serviteurs de mon seigneur
le roi Nabuchodonosor. »

⁴ ⁵ Et Judith : « Daigne accueillir favorablement les
paroles de ton esclave et que ta servante puisse parler
devant toi. Cette nuit je ne proférerai aucun mensonge
devant Monseigneur*a*. ⁶ Suis seulement les avis de ta servante, et Dieu mènera ton affaire à bonne fin, mon Seigneur n'échouera pas dans ses entreprises*b*. ⁷ Vive Nabuchodonosor, roi de toute la terre, lui qui t'a envoyé
remettre toute âme vivante dans le droit chemin, et vive sa
puissance ! Car, grâce à toi, ce ne sont pas seulement les
hommes qui le servent, mais, par l'effet de ta force, les bêtes
sauvages elles-mêmes, les troupeaux et les oiseaux du ciel

---

a) Cf. plus haut **10** 13 et note *a*, p. 53.

b) Le discours de Judith est habilement composé. L'héroïne s'y révèle
décidée, clairvoyante et rusée. Le v. 6 est plein d'équivoques : l'action et
le seigneur qui y sont nommés ne sont pas les mêmes pour Judith qui parle
et pour Holopherne qui l'écoute en suivant son idée.

vivront pour Nabuchodonosor et pour toute sa maison[a] !

6   8 « Nous avons, en effet, entendu parler de ton talent et des ressources de ton esprit. C'est chose connue de toute la terre que, dans tout l'empire, tu es singulièrement capable, riche en expérience, étonnant dans la conduite

7 de la guerre[b]. 9 Et puis, nous connaissons le discours prononcé par Achior dans ton conseil. Les gens de Béthulie l'ayant épargné, il leur a communiqué tout ce qu'il t'avait dit. 10 Eh bien, maître et seigneur, ne néglige pas ses paroles, mais garde-les présentes à ton esprit, car

8 elles sont vraies. Certes, notre race ne sera pas châtiée, l'épée ne pourra rien contre ses fils à moins qu'ils ne

9 pèchent contre leur Dieu. 11 Or, juste maintenant, afin que Monseigneur ne connaisse ni rebut ni échec, la mort va fondre sur leurs têtes. Car le péché s'est emparé d'eux, ce péché par lequel ils excitent la colère de leur Dieu chaque fois qu'ils se livrent au désordre. 12 Depuis que

10 les vivres leur manquent et que l'eau se fait rare, ils ont

11 résolu de se rabattre sur leurs troupeaux et décidé de prendre pour eux tout ce que, par ses lois, Dieu leur a

12 défendu de manger[c]. 13 Il n'est pas jusqu'aux prémices du blé, aux dîmes du vin et de l'huile, choses pourtant consacrées et réservées par eux aux prêtres qui, à Jérusalem, se tiennent devant la face de notre Dieu, qu'ils n'aient décidé de consommer. Pourtant personne du peuple n'a le droit d'y toucher, même de la main[d]. 14 Bien plus, ils

---

a) Cf. Jr **27** 6; Ba **3** 16-17; Dn **2** 38.

b) Judith fait l'éloge de l'habileté et de la sagacité d'Holopherne au moment même où elle le berne. Au v. 10, quand elle assure que ses paroles sont vraies elle joue d'ambiguïté : la thèse d'Achior est vraie, la conduite que Judith va prêter aux Juifs ne l'est pas.

c) Vulg fait porter l'infraction sur l'usage du sang : Lv **17** 10-14.

d) L'utilisation des dîmes était réservée aux prêtres, selon la Loi, mais leur contact n'est nulle part considéré comme provoquant une souillure. Peut-être y a-t-il ici encore une référence aux traditions pharisiennes.

ont envoyé à Jérusalem, où tout le monde en fait autant, des gens chargés de leur rapporter du Conseil des anciens la permission nécessaire. ¹⁵ Voici donc ce qui va leur arriver : sitôt la permission parvenue et dès qu'ils en auront usé, ce jour-là même ils te seront livrés pour leur ruine.

13 ¹⁶ « Lorsque moi, ta servante, j'eus appris tout cela, je m'enfuis de chez eux. Dieu m'a envoyée pour réaliser avec toi des entreprises dont la terre entière sera stupé-
14 faite quand on les apprendra*a*. ¹⁷ Cat ta servante est une femme pieuse. Nuit et jour elle honore le Dieu du ciel. Alors moi, je me propose de rester près de toi, Monsei-
15 gneur. Moi, ta servante, je sortirai de nuit dans le ravin et j'y prierai Dieu afin qu'il me fasse savoir quand ils auront consommé leur faute. ¹⁸ Je reviendrai alors t'en informer pour que tu sortes avec toute ton armée, et nul d'entre eux ne pourra te résister. ¹⁹ Je te conduirai à travers toute la Judée jusqu'à ce que tu parviennes devant Jérusalem. Je te ferai siéger au beau milieu de la cité. Alors tu les mèneras comme des brebis sans pasteur et il ne se trouvera même pas un chien pour gronder devant
16 toi. De tout cela j'ai eu le pressentiment, cela m'a été
17 annoncé et j'ai été envoyée pour te le révéler. »
18 ²⁰ Les paroles de cette femme plurent à Holopherne et à tous ses aides de camp. Étonnés de sa sagesse, ils
19 s'écrièrent : ²¹ « D'un bout du monde à l'autre il n'y a pas
20 de femme pareille, à la fois si belle et si bien disante ! »
²² Et Holopherne lui dit : « Dieu a bien fait de t'envoyer

---

a) Le v. 16 continue à entretenir l'ambiguïté créée dès le début du discours. Le « avec toi » est savoureux ! — Au v. 17 Judith prépare la réalisation de son plan en se ménageant une liberté d'allées et venues dans le camp. — Aux vv. 18-19 elle fait miroiter aux yeux d'Holopherne une victoire facile et glorieuse et termine sur une note d'occultisme fascinateur : elle a eu un pressentiment, une annonce, une mission.

devant les tiens ! Entre nos mains sera la puissance, et
21 chez ceux qui ont méprisé mon seigneur, la ruine. ²³ Quant
à toi, tu es aussi jolie qu'habile en tes discours. Si tu fais
comme tu l'as dit, ton Dieu sera mon Dieu, et toi tu rési-
deras dans le palais du roi Nabuchodonosor et tu seras
célèbre par toute la terre [a] ! »

12. ¹ Il la fit ensuite introduire là où était disposée
sa vaisselle d'argent, lui fit servir de ses mets et lui donna
à boire de son vin. ² Mais Judith : « Je me garderai bien
d'en manger de peur que, pour moi, il n'y ait là une occasion de faute [b]. Ce que j'ai apporté avec moi me suffira. » —
³ « Et si tes provisions viennent à manquer, comment
pourrons-nous t'en procurer de semblables ? reprit Holopherne. Parmi nous il n'y a personne de ta race. » —
⁴ « Vis en paix, Monseigneur ! Moi, ta servante, je n'aurai
pas consommé toutes mes provisions que le Seigneur
n'ait accompli par moi ses desseins [c] ! » ⁵ Les aides de
camp d'Holopherne la conduisirent alors à sa tente où
elle dormit jusqu'au milieu de la nuit. Quand approcha
la veille de l'aurore, elle se leva. ⁶ Elle avait fait dire à
Holopherne : « Que Monseigneur veuille bien ordonner
de laisser sortir sa servante pour la prière », ⁷ de sorte
qu'Holopherne avait prescrit à ses gardes de ne pas l'en
7 empêcher. Elle demeura trois jours dans le camp. Elle
sortait de nuit vers le ravin de Béthulie et se lavait à la
8 source où se trouvait le poste de garde. ⁸ En remontant

---

a) L'enthousiasme général qui accueille les dernières paroles de Judith
éloigne d'elle tout soupçon, Holopherne en oublie que seul Nabuchodonosor est dieu (6 2) et parle de se convertir au judaïsme ! Le puissant
général devient ridiculement le jouet d'une femme qui ne manque pas
d'esprit, avant d'en être la victime.

b) Cf. Dn **1** 8; Est 4 17ˣ. Si, même inconsciemment, Judith contre-
venait à une règle concernant la pureté légale, Dieu ne serait plus avec elle.

c) Judith continue à entretenir l'équivoque. Holopherne est averti que
le dénouement ne va pas tarder mais il se leurre sur le sens qu'il va prendre.

elle priait le Seigneur Dieu d'Israël de diriger son entreprise en vue du relèvement des fils de son peuple. ⁹ Une
fois purifiée, elle revenait et se tenait dans sa tente jusqu'au moment où, le soir, on lui apportait sa nourriture*a*.

¹⁰ Le quatrième jour, Ho-

Judith au banquet   lopherne donna un banquet
d'Holopherne.   auquel il invita seulement
                           ses officiers, non compris
ceux des services*b*. ¹¹ Il dit à Bagoas, l'eunuque préposé
à ses affaires : « Va donc persuader cette fille des Hébreux
qui est chez toi de venir avec nous pour manger et boire
¹¹ en notre compagnie. ¹² Ce serait une honte pour nous de
laisser partir une telle femme sans avoir eu commerce
avec elle*c*. Si nous ne réussissons pas à la décider, on rira
¹² bien de nous. » ¹³ Bagoas sortit donc de chez Holopherne
et entra chez Judith. « Cette jeune beauté*d* daignerait-elle
venir sans tarder en présence de mon maître ? dit-il. Elle
sera à la place d'honneur en face de lui, boira avec nous
un vin joyeux, et deviendra aujourd'hui même comme
l'une des filles des Assyriens qui se tiennent dans le palais
¹³ de Nabuchodonosor. » — ¹⁴ « Qui suis-je donc, répondit
¹⁴ Judith, pour m'opposer à Monseigneur ? Tout ce qui
sera agréable à ses yeux je le ferai avec empressement,

---

a) Judith nous est présentée comme très observante, fidèle aux purifi-
cations et, peut-on croire, adonnée au jeûne : elle semble ne prendre de
repas que le soir, cf. 2 S **3** 35. Esther jeûne aussi avant de paraître devant
Assuérus, Est **4** 16.

b) Notre traduction s'inspire de 1 M **10** 37 où la même expression
grecque signifie le personnel des services attachés à l'armée combattante.
Holopherne n'invite donc que les officiers de son état-major.

c) En Dn **13** 54, 58, la même expression a un sens érotique certain, vu
le contexte. Ici il s'agit simplement de festoyer joyeusement ensemble, bien
qu'Holopherne ait personnellement d'autres vues (cf. v. 16).

d) Litt. « cette belle petite esclave », mais le terme παιδίσκη peut signifier
simplement jeune fille ou jeune femme. Bagoas se fait engageant : Judith
sera traitée honorablement, elle s'amusera, elle sera déjà comme une des
favorites du harem royal.

et ce sera pour moi un sujet de joie jusqu'au jour de ma mort ! »

15   15 Elle se leva, se para de ses vêtements et de tous ses atours féminins. Sa servante la précéda et étendit par terre vis-à-vis d'Holopherne la toison que Bagoas avait donnée à Judith pour son usage journalier, afin qu'elle
16 pût s'y étendre[a] pour manger. 16 Judith entra et s'installa. Le cœur d'Holopherne en fut tout ravi et son esprit troublé. Il était saisi d'un désir intense de s'unir à elle, car depuis le jour où il l'avait vue il guettait un
17 moment favorable pour la séduire. 17 Il lui dit : « Bois donc ! Partage notre joie ! » — 18 « Je bois volontiers, seigneur, car depuis ma naissance je n'ai jamais tant apprécié la vie qu'aujourd'hui ! » 19 Elle prit ce que lui avait préparé sa servante, puis mangea et but en face de lui. 20 Holopherne était sous son charme, aussi but-il une telle quantité de vin qu'en aucun jour de sa vie il n'en avait tant absorbé.

13. 1 Quand il se fit tard, ses officiers se hâtèrent de partir. Bagoas ferma la tente de l'extérieur, après avoir éconduit d'auprès de son maître ceux qui s'y trouvaient
2 encore. Ils allèrent se coucher, fatigués par l'excès de bois-
3 4 son, 2 et Judith fut laissée seule dans la tente avec Holo-
5 pherne effondré sur son lit, noyé dans le vin. 3 Judith dit alors à sa servante de se tenir dehors, près de la chambre à coucher, et d'attendre sa sortie comme elle le faisait chaque jour. Elle avait d'ailleurs eu soin de dire qu'elle

---

a) Anciennement, en Israël, on s'assied pour manger (cf. 1 S **20** 24 s). Déjà en Amos, **6** 4 on parle de lits, et c'est une marque de mollesse. Esther est étendue sur un divan durant le banquet (Est **7** 8). — Comme dans Esther le sort d'Israël va se jouer dans l'ambiance d'un banquet. Judith, scrupuleuse sur le terrain des observances légales, n'oppose aucune réticence aux désirs du roi, sachant très bien qu'aucune souillure n'en résultera pour elle.

sortirait pour sa prière et avait parlé dans le même sens à
Bagoas.
[4] Tous s'en étaient allés de chez Holopherne et nul,
petit ou grand, n'avait été laissé dans la chambre à cou-
6 cher. Debout près du lit Judith dit en elle-même :

« Seigneur, Dieu de toute force,
en cette heure, favorise l'œuvre de mes mains
pour l'exaltation de Jérusalem.
[5] C'est maintenant le moment de ressaisir ton héritage
et de réaliser mes plans
pour écraser les ennemis levés contre nous[a]. »

8 [6] Elle s'avança alors vers la traverse du lit proche de la
9 tête d'Holopherne, en détacha son cimeterre[b], [7] puis
s'approchant de la couche elle saisit la chevelure de
l'homme et dit : « Rends-moi forte en ce jour, Seigneur,
Dieu d'Israël ! » [8] Par deux fois elle le frappa à la nuque,
de toute sa force, et détacha sa tête[c]. [9] Elle fit ensuite rouler
11 le corps loin du lit et enleva la draperie des colonnes. Peu
après elle sortit et donna la tête d'Holopherne à sa ser-
12 vante, [10] qui la mit dans la besace à vivres, et toutes deux
sortirent du camp comme elles avaient coutume de le faire
pour aller prier. Une fois le camp traversé elles contour-

---

13 4. « *Holopherne* » *ajouté avec* 58.

---

a) La prière de Judith n'exprime aucun sentiment de vengeance, contrairement à celle d'Esther (**4** 17[q]), mais elle rejoint les prières des justes de l'A. T. (Ps **74** 18-20; Dn **3** 34-36; etc.) contre les ennemis de Dieu. Cf. la prière de Ben Sira en Si **36** 1-19.

b) Le mot ἀκινάκης (cf. **16** 9) est habituellement traduit par « cimeterre ». Il s'agit d'une arme perse, non grecque, mais droite qui apparaît suspendue au côté droit d'un archer dans un bas-relief, représentant Darius et Xerxès, en provenance de Persépolis (Louvre).

c) Cf. Jg **4** 21. Comme Sisera, Holopherne est tué par une femme dans la plaine d'Esdrelon.

nèrent le ravin, gravirent la pente de Béthulie et parvinrent aux portes.

13

**Judith apporte
à Béthulie
la tête d'Holopherne.**

[11] De loin Judith cria aux gardiens des portes : « Ouvrez, ouvrez la porte ! Car le Seigneur notre Dieu est encore avec nous pour accomplir des prouesses en Israël[a] et déployer sa force contre nos

14 ennemis comme il l'a fait aujourd'hui ! » [12] Quand les hommes de la ville eurent entendu sa voix, ils se hâtèrent de descendre à la porte de leur cité et appelèrent les anciens.

15 [13] Du plus petit jusqu'au plus grand tout le monde accou-
16 rut, car on ne s'attendait pas à son arrivée. Les gens ouvri-
rent la porte, accueillirent les deux femmes, firent du feu
17 pour y voir et les entourèrent. [14] D'une voix forte Judith
18 leur dit : « Louez Dieu ! Louez-le ! Louez le Dieu qui n'a pas détourné sa miséricorde de la maison d'Israël, mais
19 qui, cette nuit, a par ma main brisé nos ennemis. » [15] Elle tire alors la tête de sa besace et la leur montre : « Voici la tête d'Holopherne, le général en chef de l'armée d'Assur, et voici la draperie sous laquelle il gisait dans son ivresse ! Le Seigneur l'a frappé par la main d'une femme ! [16] Vive le Seigneur qui m'a gardée dans mon entreprise ! Car mon visage n'a séduit cet homme que pour sa perte. Il n'a pas péché avec moi pour ma honte et mon déshonneur[b]. »

---

a) Dieu est célébré comme le Dieu guerrier, le Dieu des armées, dont tout Israël se complaît à chanter les exploits (Ex **15** 1-2 ; Ps **68** ; **98** 1-3...). Le « encore » relie l'époque actuelle à celles des batailles de Yahvé, au temps de Josué et des Juges (cf. **16** 12).

b) La victoire de Judith est totale. Vulg ajoute : « Vive le Seigneur ! car son ange m'a gardée tandis que j'allais (vers Holopherne), durant mon séjour et dans mon retour. Le Seigneur n'a pas permis que je fusse souillée, mais il m'a fait revenir parmi vous, sans tache, joyeuse de sa victoire, de mon évasion et de votre libération. Célébrez-le tous car il est bon, car sa miséricorde est éternelle ! » (cf. Ps **136**). — Ce texte de la Vulg et **13** 17 sont utilisés dans l'office de sainte Jeanne d'Arc.

²²   ¹⁷ En proie à un indicible enthousiasme tout le peuple
se prosterna pour adorer Dieu et cria d'une seule voix :
« Béni sois-tu, ô notre Dieu, toi qui, en ce jour, as anéanti
²³ les ennemis de ton peuple ! » ¹⁸ Ozias, à son tour, dit à
Judith :

> « Sois bénie, ma fille, par le Dieu Très Haut,
>   plus que toutes les femmes de la terre[a];
²⁴   et béni soit le Seigneur Dieu,
>   Créateur du ciel et de la terre,
>   lui qui t'a conduite pour trancher la tête
>   du chef de nos ennemis !
²⁵ ¹⁹ Jamais la confiance dont tu as fait preuve
>   ne s'effacera de l'esprit des hommes;
>   mais ils se souviendront éternellement
>   de la puissance de Dieu.
> ²⁰ Fasse Dieu que tu sois éternellement exaltée
>   et récompensée de mille biens,
>   puisque tu n'as pas ménagé ta vie
>   quand notre race était humiliée,
>   mais que tu as conjuré notre ruine
>   en marchant droit devant notre Dieu. »

²⁶ Tout le peuple répondit : « Amen ! Amen ! »

---

a) Ce beau texte présente une heureuse anticipation de Lc **1** 28, 42;
cf. aussi Jg **5** 24. L'Église l'utilise, ainsi que **15** 10, dans la liturgie de
plusieurs fêtes de la Vierge (8 déc., 11 févr., 15 août, 7 oct.). Vulg a un
texte assez différent des LXX tout en développant les mêmes idées.

V

LA VICTOIRE

**Les Juifs assaillent
le camp assyrien.**

14. [1] Judith leur dit : « Écoutez-moi, frères. Prenez cette tête, suspendez-la au faîte de vos remparts.

[2] Puis, quand l'aube aura paru et que le soleil sera levé sur la terre, prenez chacun vos armes et que tout homme valide sorte de la ville. Sur cette troupe établissez un chef, tout comme si vous vouliez descendre dans la plaine vers le poste avancé des Assyriens. Mais ne descendez pas[a].

14. [3] Les Assyriens prendront leur équipement, gagneront leur camp et éveilleront les chefs de leur armée. On se précipitera alors vers la tente d'Holopherne et on ne le trouvera pas. La frayeur s'emparera d'eux et ils fuiront [5] devant vous. [4] Vous, et tous ceux qui habitent dans le territoire d'Israël, vous n'aurez plus qu'à les poursuivre et à les abattre dans leur retraite.

[5] « Mais avant d'agir ainsi, appelez-moi Achior[b] l'Ammonite, pour qu'il voie et reconnaisse le contempteur de la maison d'Israël, celui qui l'avait envoyé parmi nous **13.** [27] comme un homme voué d'avance à la mort. » [6] On fit

---

a) A cause de l'inégalité des forces en présence Judith continue à chercher la victoire dans la ruse. L'auteur a su lui composer un caractère cohérent.

b) Achior, témoin d'Israël devant Holopherne (cf. Vulg **13** 27), va maintenant témoigner devant Israël de la puissance divine. Il reconnaît la tête du général, qu'il a vu tout-puissant il y a peu de jours, aux mains d'une femme ! — Vulg a placé l'intervention d'Achior avant **14** 1 et fait tenir à Judith un petit discours où elle rappelle la présomption du général ennemi.

²⁹ donc venir Achior de chez Ozias. Sitôt arrivé, à la vue de
la tête d'Holopherne que tenait un des hommes de l'assemblée du peuple, il tomba la face contre terre et s'évanouit.
³⁰ ⁷ On le releva. Il se jeta alors aux pieds de Judith et, se
prosternant devant elle, s'écria :

³¹ « Bénie sois-tu dans toutes les tentes de Juda
    et parmi tous les peuples ;
    ceux qui entendront prononcer ton nom
    seront saisis d'effroi !

⁸ « Et maintenant raconte-moi tout ce que tu as fait ces
jours-ci. » Et Judith lui raconta, au milieu de tout le peuple, tout ce qu'elle avait fait depuis le jour de sa sortie de
Béthulie jusqu'au moment où elle parlait. ⁹ Quand elle
se fut tue, le peuple poussa de puissantes acclamations
et emplit la ville de cris d'allégresse. ¹⁰ Achior, voyant
tout ce qu'avait fait le Dieu d'Israël, crut fermement en
lui, se fit circoncire et fut admis définitivement dans la
maison d'Israël[a].

⁷ ¹¹ Quand l'aube parut, les gens de Béthulie pendirent
la tête d'Holopherne au rempart. Chacun prit ses armes
et tous sortirent par bandes sur les pentes de la montagne.
⁸ ¹² Ce que voyant, les Assyriens dépêchèrent des messagers vers leurs chefs qui, à leur tour, se rendirent chez
les stratèges, les chiliarques et tous leurs officiers. ¹³ On
¹¹ parvint ainsi jusqu'à la tente d'Holopherne. « Éveille
¹² notre maître, dit-on à son intendant. Ces esclaves[b] ont

a) L'expression « jusqu'à ce jour » que porte le grec (cf. aussi **1** 15)
signifie « définitivement » : dans les deux cas elle paraît singulière. L'agré-
gation d'Achior à Israël est une réhabilitation des Ammonites (cf. Dt **23** 4-5).
b) Le terme est chargé de mépris, on considérait déjà la prise de Béthulie comme une chose faite. Vulg : « Les rats sortis de leurs trous ont osé
nous provoquer au combat »; le mot peut provenir d'une lecture différente
de l'original hébreu.

osé descendre vers nous et nous attaquer pour se faire
13 complètement massacrer. » ¹⁴ Bagoas entra donc. Il frappa
des mains devant le rideau de la tente, pensant qu'Holo-
14 pherne dormait avec Judith. ¹⁵ Mais comme personne ne
semblait rien entendre, il ouvrit et pénétra dans la chambre
à coucher et le trouva jeté sur le seuil, mort, la tête enlevée
du corps. ¹⁶ Il poussa alors un grand cri, pleura, sanglota,
15 hurla et déchira ses vêtements, ¹⁷ puis pénétra dans la
tente où logeait Judith et ne la trouva pas. Alors, s'élan-
çant dans la foule il cria : ¹⁸ « Ah ! les esclaves se sont
rebellés ! Une femme des Hébreux a couvert de honte la
maison de Nabuchodonosor*ᵃ*. Holopherne gît à terre, déca-
17 pité ! » ¹⁹ A ces mots les chefs de l'armée d'Assur, l'esprit
18 complètement bouleversé, déchirèrent leurs tuniques et
firent retentir le camp de leurs cris et de leurs clameurs.

15.   ¹ Lorsque ceux qui étaient encore dans leurs tentes
apprirent la nouvelle, ils en perdirent la tête. ² Pris de terreur et de panique ils ne purent rester deux ensemble : ce
fut la débandade. Chacun s'enfuit par les sentiers de la
plaine ou de la montagne. ³ Ceux qui étaient campés dans
la région montagneuse autour de Béthulie se mirent à
fuir eux aussi. Alors les hommes de guerre des Israélites
foncèrent sur eux. ⁴ Ozias dépêcha des messagers à Bétomestaïm, à Bèbé, à Chobé, à Kolaᵇ, dans le territoire
d'Israël tout entier afin d'y faire connaître tout ce qui
venait de se passer et d'inviter toutes les populations à

---

14 14. « *Il frappa des mains* » *avec* 19, 108, *Vulg. Le grec* κρούειν *peut d'ailleurs avoir ce sens.*

---

a) Cf. Jg **9** 54 et plus haut **13** 15. L'expression est empruntée à
1 S **13** 3 selon LXX. Cette idée sera longuement développée dans le
chant d'actions de grâces (**16** 6-9).
b) Bétomestaïm et Chobé (= Choba) seuls sont déjà mentionnés en
4 4, 6. Les autres sites sont inconnus.

se jeter sur les ennemis et à les anéantir. ⁵ A peine les gens
d'Israël furent-ils avertis que d'un seul élan ils tombèrent
tous sur eux et les frappèrent jusqu'à Choba. Ceux de
Jérusalem et de toute la montagne*ᵃ* se joignirent également
à eux, car ils avaient aussi été mis au courant de ce
qui s'était passé dans le camp ennemi. Puis ce furent les
gens de Galaad et de Galilée qui les prirent de flanc et les
frappèrent durement jusqu'à proximité de Damas et de
sa région*ᵇ*. ⁶ Quant aux autres, demeurés à Béthulie, ils
se jetèrent sur le camp d'Assur, le pillèrent et s'enrichirent
sans mesure. ⁷ Les Israélites, de retour du carnage, se
rendirent maîtres du reste. Les gens des bourgs et des
villages de la montagne et de la plaine s'emparèrent aussi
d'un immense butin, car il y en avait en quantité*ᶜ*.

⁸ Le grand prêtre Ioakim

Actions de grâces. et tout le Conseil des anciens des enfants d'Israël
qui étaient à Jérusalem vinrent contempler les bienfaits
dont le Seigneur avait comblé Israël, pour voir Judith
et la saluer*ᵈ*. ⁹ En entrant chez elle, tous la bénirent ainsi
d'une seule voix :

---

a) La montagne de Judée. Le mot désigne parfois dans Judith toute la
contrée située au sud du Carmel et de Gelboé (**5** 3, 15 ; **7** 10). Comme au
v. 3 il a déjà été question de la montagne d'Israël, ici il s'agit sûrement
de la Judée.

b) La région de Damas qui a vu le départ d'Holopherne pour son expédition victorieuse sur Canaan devient le théâtre de sa défaite.

c) L'auteur ne se fait pas scrupule d'insister sur le pillage du camp
assyrien (cf. Is **9** 2). Le livre d'Esther préférait noter le désintéressement
des vainqueurs (Est **9** 10, 16). Judith vouera d'ailleurs sa part en « anathème » (**16** 19, cf. la législation de Dt **13** 13-19 ; Lv **27** 28 s).

d) Le triomphe de Judith rappelle celui de Mardochée, le Juif (Est **8** 15 ;
10 3). Pour l'utilisation liturgique du texte cf. note à **13** 18. Vulg lit ainsi
v. 10 : « Car tu as agi virilement. Ton cœur s'est affermi parce que tu
aimais la chasteté et que tu n'as voulu connaître aucun autre homme après
la mort de ton mari. Alors la main de Dieu t'a donné la force. Ainsi, tu
seras éternellement bénie ! »

« Tu es la gloire de Jérusalem !
Tu es le suprême orgueil d'Israël !
Tu es le grand honneur de notre race !

22 **10** En accomplissant tout cela de ta main,
tu as bien mérité d'Israël,
et Dieu a ratifié ce que tu as fait.

Bénie sois-tu par le Seigneur Tout-Puissant
dans la suite des temps ! »

12 Et tout le peuple reprit : « Amen ! »

13 14 **11** La population pilla le camp trente jours durant. On
donna à Judith la tente d'Holopherne, toute son argenterie[a], sa literie, ses bassins[b] et tout son mobilier. Elle le
prit, en chargea sa mule, attela ses chariots et y amoncela
le tout. **12** Toutes les femmes d'Israël, accourues pour la
voir, s'organisèrent en chœur de danse[c] pour la fêter.
Judith prit en main des thyrses[d] et en donna aux femmes
qui l'accompagnaient. **13** Judith et ses compagnes se cou-
ronnèrent d'olivier. Puis elle se mit en tête du peuple et
conduisit le chœur des femmes. Tous les hommes d'Israël,
en armes et couronnés, l'accompagnaient au chant des
16. **1** hymnes. **14** Au milieu de tout Israël, Judith entonna

---

a) Cette argenterie est celle qui a été présentée à Judith en **12** 1. —
Comparer ce v. avec Ez **39** 8-10.
b) Le mot ὁλκεῖα désigne des récipients d'assez grande proportion utilisés pour la lessive, la toilette ou les bains dans les maisons particulières.
c) De tels cortèges chorégraphiques sont mentionnés en 3 M **6** 32;
7 16. Dans l'A. T. il est fait allusion à de tels chœurs, Ex **15** 20; Jg **11** 34;
21 21-23; 1 S **18** 6; Jr **31** 4-13; etc. Mais jamais il n'y est question d'une
parure de couronnes de lauriers ou d'olivier. L'usage est proprement
grec.
d) Cet attribut évoque les bacchantes. Le mot n'existe dans la Bible
grecque qu'ici et en 2 M **10** 7.

ce chant d'action de grâces et tout le peuple clama
l'hymne :

16. ¹ Louez mon Dieu sur les tambourins,
          chantez le Seigneur avec les cymbales,
          mêlez pour lui le psaume au cantique,
          exaltez et invoquez son nom[a] !
       ² Car le Seigneur est un Dieu briseur de guerres[b] ;
          il a établi son camp au milieu de son peuple,
          pour m'arracher de la main de mes adversaires.

       ³ Assur descendit des montagnes du septentrion,
          il vint avec les myriades de son armée[c].
          Leur multitude obstruait les torrents,
          leurs chevaux couvraient les collines.

   6   ⁴ Ils parlaient d'embraser mon pays,
          de passer mes adolescents au fil de l'épée,
          de jeter à terre mes nourrissons,

---

15 14. *Ce v. est parfois compté par les éditeurs comme le premier du ch.* **16**, *ce
qui amène un décalage dans la numérotation des vv. du ch.* **16**.
16 1. *Nous supposons que le texte portait* hâlal, « *louer* », *et non* ḥâlal, « *commencer* » (*au hiphil*).
     2. « *il a établi* » *avec VetLat, Syr.*

---

a) Le poème est bâti comme un psaume hymnique. On a une 1ʳᵉ strophe (v. 1) qui sert d'invitatoire ; 2ᵉ strophe (v. 2) énonce le motif de
l'hymne ; 3ᵉ strophe (vv. 3-6) développe le thème d'actions de grâces ;
4ᵉ strophe (vv. 7-9) reprend avec plus d'ampleur le v. 5 ; 5ᵉ strophe (vv. 10-
12) reprend le v. 6 ; 6ᵉ strophe (vv. 13-15) est une louange à Dieu dans le
ton général des hymnes ; les deux vv. 16 et 17 tirent la leçon des faits. —
Du v. 1 rapprocher les débuts des hymnes, p. ex. : Ps **81** 2-4 ; **135** 1-3 ;
149 1-3.
b) L'expression « Dieu briseur de guerres » n'est qu'ici et en **9** 10. Mais
cf. Ex **15** 3 ; Ps **46** 10 ; **68** 31 ; **76** 4, toujours dans un contexte d'hymne à
Yahvé vainqueur.
c) Vv. 3-6. L'antithèse entre la force brutale des ennemis et la fragile
beauté d'une femme qui les a perdus est dans le ton de l'épopée.

de livrer au butin mes enfants
et mes jeunes filles au rapt.

7   ⁵ Mais le Seigneur Tout-Puissant le leur interdit
par la main d'une femme.

8   ⁶ Car leur héros*ᵃ* n'est pas tombé devant des jeunes
ce ne sont pas des fils de titans qui l'ont frappé, [gens
ni de fiers géants qui l'ont attaqué,
mais c'est Judith, fille de Merari
qui l'a désarmé par la beauté de son visage.

9   ⁷ Elle avait déposé son vêtement de deuil
pour le réconfort des affligés d'Israël,

10   elle avait oint son visage de parfums,
⁸ elle avait emprisonné sa chevelure sous un turban,
elle avait mis une robe de lin pour le séduire.

11   ⁹ Sa sandale*ᵇ* ravit son regard,
sa beauté captiva son âme...
et le cimeterre lui trancha le cou !

12   ¹⁰ Les Perses frémirent de son audace
et les Mèdes furent confondus de sa hardiesse.
¹¹ Alors mes humbles crièrent, et eux prirent peur,
mes faibles hurlèrent, et eux furent saisis d'effroi;
ils enflèrent leur voix, et eux reculèrent.
¹² Des enfants de femmelettes*ᶜ* les tuèrent,

---

11. *Notre traduction suit le texte grec mais en supposant une césure après chacun des trois verbes* ἐφοβήθησαν, ἐπτοήθησαν *et* ἀνετράπησαν *dont le sujet, non exprimé, serait les ennemis, énumérés au v.* 10.

a) Le mot « héros » (champion) rappelle 1 S **17** 52 (Goliath).

b) Cf. Ct **7** 2.

c) Le mot κόρη a aussi le sens de « femme ». Le diminutif a, semble-t-il, un sens péjoratif, cf. 1 S **20** 30 ordinairement traduit « dévoyée, impudique », sens qui n'est cependant pas celui des termes hébreux correspondants. Ici le sens pourrait être : ce qu'il y a de plus chétif (réponse à **5** 23).

ils les transpercèrent comme des fils de déserteurs[a].
Ils périrent dans la bataille de mon Seigneur !

[13] Je veux chanter à mon Dieu un cantique nouveau[b].
Seigneur, tu es grand, tu es glorieux,
admirable dans ta force, invincible.
[14] Que toute ta création te serve !
Car tu as dit et les êtres furent,
tu envoyas ton souffle et ils furent construits,
et personne ne peut résister à ta voix.

[15] Les montagnes crouleraient-elles
pour se mêler aux flots,
les rochers fondraient-ils
comme la cire devant ta face[c],
qu'à ceux qui te craignent
tu serais encore propice.

[16] Certes, c'est peu de chose
qu'un sacrifice d'agréable odeur,
et moins encore la graisse
qui t'est brûlée en holocauste;
mais qui craint le Seigneur
est grand toujours.

[17] Malheur aux nations
qui se dressent contre ma race[d] !

_a_) Ironie en réponse à **6** 5.
_b_) Les vv. 13-16 sont un développement hymnologique fait de locutions
habituelles dans les Psaumes : v. 13 et Ps **86** 10; **144** 9; **147** 5; — v. 14
et Ps **33** 9; **104** 30; **148** 5; Est **4** 17[b]; — v. 15 et Ps **25** 14; **97** 5; **103** 13;
— v. 16 et Ps **51** 18; Si **34** 13-17.
_c_) Cf. Jg **5** 5.
_d_) L'hymne se termine sur une note très particulariste à rapprocher de
Jl **4** 1-4; Is **66** 24; Si **7** 17. Voir aussi la fin du chant de Débora : Jg **5** 31.

Le Seigneur Tout-Puissant
les châtiera au jour du jugement.
Il enverra le feu et les vers dans leurs chairs
et ils pleureront de douleur éternellement.

¹⁸ Quand ils furent arrivés à Jérusalem, tous se pro-
sternèrent devant Dieu et, une fois le peuple purifié, ils
offrirent leurs holocaustes, leurs oblations volontaires
et leurs dons. ¹⁹ Judith voua à Dieu, en anathème[a], tout
le mobilier d'Holopherne donné par le peuple et la draperie qu'elle avait elle-même enlevée de son lit. ²⁰ La population se livra à l'allégresse à Jérusalem, devant le Temple,
trois mois durant[b], et Judith resta avec eux.

25

**Vieillesse et mort
de Judith.**

²¹ Ce temps écoulé, cha-
cun revint chez soi. Judith
regagna Béthulie et y demeura dans son domaine. De son

26 vivant elle devint célèbre dans tout le pays[c]. ²² Beaucoup
la demandèrent en mariage, mais elle ne connut point
d'homme tous les jours de sa vie depuis que son mari
Manassé fut mort et réuni à son peuple. ²³ Son renom
croissait de plus en plus tandis qu'elle avançait en âge

28 dans la maison de son mari. Elle atteignit cent cinq ans[d].
Elle affranchit sa servante, puis mourut à Béthulie et
fut ensevelie dans la caverne où reposait son mari

29 Manassé[e]. ²⁴ La maison d'Israël célébra son deuil durant
sept jours. Avant de mourir elle avait réparti ses biens

---

a) Voir note à **15** 7.

b) Cf. 3 M **6** 30-40; **7** 18.

c) Cf. Est **9** 4.

d) Cet âge très avancé, qui donne au personnage de Judith un surcroît
de vénérabilité, l'introduit aussi dans la lignée des grands ancêtres (cf. Gn
23 1; **25** 7; **35** 28; **50** 26).

e) Archaïsme (cf. Gn **23** 19 s; **49** 29-32).

dans la parenté de son mari Manassé et dans la sienne propre.

²⁵ Plus personne n'inquiéta les Israélites du temps de Judith ni longtemps encore après sa mort*ᵃ*.

---

a) Cette finale rappelle les finales ordinaires de l'histoire des « Grands Juges » (Jg **3** 11; **3** 30; **5** 32; **8** 28). Vulg seule ajoute : « Le jour anniversaire de cette victoire est fêté par les Hébreux et compté parmi les jours sacrés. Les Juifs le célèbrent depuis lors jusqu'aujourd'hui. » En fait, nous ne connaissons aucune trace d'une telle solennité. Peut-être faut-il voir ici l'influence de la finale du livre d'Esther : **9** 27 s. Cf. aussi 3 M **6** 36.

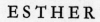

ESTHER

INTRODUCTION

Le livre.

Dans sa partie principale (**1** 1-**9** 19), le livre d'Esther raconte comment les Juifs établis en Perse[1] furent menacés d'extermination par la haine jalouse d'un vizir omnipotent et comment ils furent sauvés grâce à Esther, jeune compatriote devenue reine, elle-même dirigée par son oncle Mardochée. Chemin faisant, l'auteur dégage la cause profonde de l'hostilité dont les Juifs sont l'objet, savoir : la singularité de leur vie et, en conséquence, leur mépris des édits royaux.

La fin du livre (**9** 20-32) se présente comme un recueil de documents destinés à authentiquer la célébration de la fête juive des Purim[2] dont l'institution est attribuée à Esther et à Mardochée. Un éloge de Mardochée, incarnation de l'âme juive et promoteur de la résistance aux prétentions de ses adversaires, termine le livre dans le texte hébreu (**10** 1-3). Le texte grec ajoute une notice relative à l'introduction des « lettres » d'institution des Purim dans la communauté juive d'Égypte (**10** 3[1] — Vulg **11** 1).

---

1. La déportation de Jéchonias (**2** 6) avait transplanté toute une population judéenne en Babylonie. Quand l'empire babylonien s'effondra sous les coups de Cyrus (539 av. J. C.) les Juifs furent libres de regagner leur patrie. Un certain nombre préférèrent rester dans l'empire perse et l'histoire biblique nous en présente plusieurs bien en place à la cour des rois. Tels sont Esdras et Néhémie.

2. Sur le caractère et l'origine de cette fête, voir plus loin, p. 88.

Les formes du texte. Les anciens traducteurs du texte hébreu, traducteurs grecs, araméens et même latins, ont pris vis-à-vis de l'original une liberté qui nous étonne. Ce pourrait être un indice qu'ils voyaient dans Esther moins un document d'histoire qu'un livre d'édification et le traitaient comme tel.

En fait, nous nous trouvons actuellement devant deux états du texte[1] : une forme brève, représentée par l'hébreu que saint Jérôme traduisit d'assez près, quoique sans rigidité[2]; une forme longue, représentée par deux types du texte grec. Ces deux types sont : le type commun (texte alexandrin des Mss S, A, B, recension origénienne) et le type, très différent, de la recension de Lucien d'Antioche (Mss 19, 93, 108). Par comparaison avec l'hébreu tous deux présentent certaines sections spéciales : songe de Mardochée, première mention d'un complot contre le roi, et, en finale, explication du songe (**1** 1$^{a\text{-}r}$; **10** 3$^{a\text{-}k}$); deux édits d'Assuérus (**3** 13$^{a\text{-}g}$ et **8** 12$^{a\text{-}x}$); les prières de Mardochée (**4** 17$^{a\text{-}i}$) et d'Esther (**4** 17$^{k\text{-}z}$); un récit de la première démarche d'Esther auprès d'Assuérus amplifiant considérablement celui du texte hébreu (**5** 1$^{a\text{-}f}$ et **5** 2$^{a\text{-}b}$); enfin un appendice expliquant l'origine de la traduction grecque de la « présente lettre concernant les Purim » (**10** 3^{l}).

Comment nous représenter la formation de textes si divers ?

1º A l'origine il faut placer un texte hébreu, le nôtre très probablement. Nous dirions « sûrement » si une difficulté ne s'élevait. Comment un auteur juif, palestinien ou non, a-t-il pu écrire un livre d'où soient systématiquement écartés le

1. Nous ne parlons pas ici des Targums qui sont des paraphrases, parfois deux fois plus développées que l'hébreu, bien plus que des traductions.

2. Saint Jérôme traduisit aussi les sections propres au texte grec commun, mais sans les mêler au récit hébreu. Il les plaça en appendice (cf. Vulg **10** 4-**16** 24). Au début de cet appendice il met l'avertissement suivant : « J'ai rendu très fidèlement ce qui se trouve dans l'hébreu. Quant à ce qui suit, je l'ai trouvé dans l'édition commune où il est en langue et en lettres grecques. Cependant, à la fin du livre, se trouvait ce paragraphe. Selon notre coutume nous l'avons marqué d'un obèle, c'est-à-dire d'une fléchette. »

nom de Dieu et toute allusion claire à sa providence en faveur d'Israël ? Ne serions-nous pas plutôt devant un texte intentionnellement remanié et réduit à l'état de neutralité religieuse, quel que soit le motif de ce traitement : besoin de le soustraire à des persécuteurs, par exemple ? La question reste sans réponse apaisante[1]. L'absence de tout nom divin est à noter aussi dans 1 M et, sans doute à cause du genre littéraire, dans le Cantique des Cantiques.

2° Le texte grec, loin de reproduire strictement l'hébreu, est souvent glosé et présente des sections sûrement étrangères au texte hébreu primitif. Ainsi 1 1[a-c] et 2 5-6 font double emploi dans le texte grec; 1 1[q] et 6 3 sont contradictoires; le texte des deux décrets royaux ne dérive pas d'un original hébreu. Il est sans doute le plus ancien témoin d'une littérature paraphrasante représentée encore par les Targums, une version araméenne indépendante (éditée par J.-B. de Rossi), le texte de Lucien et, en partie, la vieille latine.

3° Une mention spéciale doit être faite du texte grec de Lucien. De sa comparaison avec le texte grec commun ressortent assez nettement les tendances auxquelles a obéi son auteur. Il bouleverse souvent l'ordre du texte primitif par un souci de logique. D'autre part il abrège volontiers le récit : il omet les redites du grec commun ou simplement les répétitions de mots du texte hébreu, certaines formules d'introduction des décrets d'Assuérus, certains détails trop spécifiquement techniques ou juifs. Il omet encore ou abrège les énumérations de noms propres. Par contre, il multiplie les détails explicatifs. Il aime surtout à faire participer le lecteur aux sentiments des acteurs (cf. principalement 3 8; 6 3, cités en note). On est donc en présence d'une « re-tractation » très personnelle.

---

1. Il n'est pas sans intérêt de noter que le grec, là où il est parallèle au texte hébreu, ne contient encore que peu de mentions de Dieu (2 20 : retouche évidente; 4 8 : glose probable; 6 1, 13 qui peut être aussi bien addition du grec que suppression de l'hébreu). En 5 1 par contre, la sobriété mise à raconter un événement si longuement préparé ne peut qu'étonner. On pourrait penser qu'ici l'original a été abrégé. C'est d'ailleurs le seul endroit où l'on éprouve cette impression avec quelque netteté.

4° Selon d'autres exégètes il y aurait eu deux textes inspirés au départ : le TM et un texte plus ample, correspondant à celui de la vieille latine. Lysimaque aurait traduit en grec le texte hébreu et y aurait intercalé les péricopes propres au grec, ce qui aurait donné notre texte grec actuel. Il resterait à expliquer pourquoi les Grecs, en possession d'un texte canonique, seraient allés en chercher un autre. Une invitation comme celle de 2 M 2 14 pourrait expliquer ce désir de s'aligner sur la tradition littéraire hiérosolymitaine. Mais alors pourquoi remanier le texte emprunté ? La tendance, de plus en plus accentuée, au midrash haggadique pourrait rendre compte de ces diverses retractations.

Interprétation du livre. L'interprétation du livre d'Esther, liée à la détermination de son genre littéraire, fait partie de ces problèmes « dont la discussion et l'explication peuvent et doivent être laissées au libre exercice de la pénétration et de l'ingéniosité d'esprit des commentateurs catholiques » (Encyclique *Divino afflante Spiritu*). Pour lui chercher une solution, il sera bon d'examiner deux aspects très divers du livre.

a) Aspect historique. De prime abord le récit paraît pouvoir s'insérer sans difficulté dans l'histoire des Achéménides. Le roi Assuérus, transcription hébraïque de Xerxès, est bien connu. La chronologie proposée ne contredit pas les dates données par l'histoire générale. Le portrait moral du roi s'harmonise bien avec ce que nous en dit Hérodote. L'établissement de Juifs en Perse conséquemment à l'exil babylonien et à la conquête persane est chose attestée par les livres d'Esdras et de Néhémie et par les historiens profanes. L'auteur paraît connaître exactement Suse, la capitale, et la configuration du palais royal qu'il semble distinguer de la « ville » et de la « citadelle » (**3** 15).

b) Aspect midrashique[1]. Pourtant il est des détails, et impor-

---

1. Le mot *midrash,* qui signifie exposé, commentaire, désigne les commentaires écrits par les Juifs sur les livres historiques de la Bible, du VIe au VIIe siècle de notre ère. Le mot se trouve cependant dans la Bible elle-

tants, qui s'inscrivent difficilement dans l'histoire du règne de Xerxès. Nous savons par les livres d'Esdras et de Néhémie de quelle tolérance étaient animés les premiers Achéménides à l'égard des Juifs et cela rend assez invraisemblable le décret de massacre général lancé par le roi. Plus invraisemblable encore le décret du roi autorisant le massacre de ses propres sujets ! Et puis, les exécutions en masse sont annoncées bien longtemps à l'avance. Le massacre de 75.000 Perses (les chiffres varient d'ailleurs selon les versions, cf. **9** 16) ne paraît pas avoir soulevé de notable résistance (**9** 2 s). Difficulté encore d'admettre comme épouse de Xerxès et reine une jeune fille dont le roi est censé ignorer l'origine. Si, comme nous l'apprend Hérodote (VII, 61; IX, 108-113), la femme de Xerxès et reine de Perse fut, aux dates mêmes que propose le récit biblique, Amestris, il est difficile de croire que deux concubines successives, Vasthi et Esther, aient pu être investies de la dignité royale, réservée aux femmes de sang perse. Enfin, Mardochée est donné à la fois comme un déporté au temps de Nabuchodonosor (**2** 6) et comme officier du palais sous Xerxès, ce qui le suppose âgé d'environ 150 ans.

Il nous reste donc à essayer de déterminer positivement le genre littéraire utilisé par l'auteur.

Genre littéraire. Le livre d'Esther se présente sous la forme d'un captivant récit. Le cadre en est la ville de Suse au temps de Xerxès (486-465 av. J. C.).

Les personnages sont : Assuérus dont le portrait calque assez habilement celui du Xerxès de l'histoire, sensuel, fantasque et parfois cruel; Aman, le vizir tout-puissant, inconnu d'autre part, un Mède, « étranger au sang perse », dira le texte grec (**8** 12^k), et par suite incapable d'adopter l'attitude tolérante des Perses; Vasthi, supposée reine de Perse et épouse d'Assuérus, elle n'apparaît que pour introduire Esther; enfin

---

même où certains livres qui ont servi de source à l'auteur des Chroniques sont appelés de ce nom (2 Ch **13** 22; **24** 27). Le genre existait donc dès la période post-exilienne (cf. encore Si **51** 23).

les Juifs Mardochée et Esther, tous deux dotés de noms d'origine babylonienne[1]. Entre l'orgueilleux et intrigant Aman et Mardochée, symbole de tout le peuple juif, Assuérus joue le rôle peu reluisant, mais redoutable et décisif, d'un fantoche couronné. La passion l'amènera aussi bien à répudier Vasthi pour avoir refusé de satisfaire à un inconvenant caprice[2], qu'à élever à la dignité royale une étrangère qui gagnera ses faveurs. A cette favorite devenue reine il n'hésitera pas, dans la suite, à sacrifier son vizir, puis des milliers de ses sujets[3]. L'auteur a d'ailleurs montré plus de délicatesse en crayonnant le portrait d'Assuérus que ne l'a fait l'auteur inconnu du *3e Maccabées* dans sa caricature de Ptolémée Philopator[4].

L'action est menée avec un sens remarquable de l'économie de l'intérêt. Ses phases majeures[5] sont habilement préparées par les compositions de lieu[6], ou savamment retardées par l'intervention d'épisodes curieux ou plaisants[7]. La reprise, en refrain, d'un dialogue aux termes invariables entre le roi et Esther lors de leurs diverses entrevues (cf. **5** 3, 6-7; **7** 2-3;

---

1. C'est certain pour le nom de « Mardochée » et très probable pour celui d' « Esther » (cf. p. 99, note *c*).

2. C'est le sens qu'il faut donner à l'expression « montrer sa beauté ». On comprend alors le refus de Vasthi. Quoique la situation soit assez différente, l'épisode s'éclaire par l'histoire de Candaule racontée par Hérodote et les réflexions de l'historien au sujet de la pudeur chez les femmes lydiennes (HÉROD., I, 8-12). En Ez **16** 25 le mot « beauté » semble avoir un sens assez concret, comme en d'autres langues orientales.

3. Si un tel ordre ne se conçoit guère sur le plan historique, la demande réitérée qu'en fait Esther n'est pas plus justifiable. S'il s'agit d'un simple récit à thèse il en va tout autrement. Pour cette question, liée à la portée religieuse du livre, cf. pp. 87 s.

4. Sur cet apocryphe voir p. 84, note 1.

5. Par exemple la répudiation de Vasthi (**1** 9-22), l'accession d'Esther à la royauté (**2** 15-18), le décret d'extermination des Juifs (**3** 7-15), la démarche héroïque d'Esther en faveur de son peuple (**5** 1-8), la disgrâce d'Aman (**7** 2-10), le décret de réhabilitation des Juifs (**8** 5-12), enfin la revanche du peuple élu (**9** 1-16).

6. Description du faste royal et du palais où se donnent d'interminables banquets (**1** 1-8); présentation des coutumes du harem (**2** 1-14).

7. Atermoiements imposés par Esther à la curiosité du roi (**5** 3-8), portrait de la vanité d'Aman (**5** 9-14), récit plaisant de sa déconvenue (**6** 1-13).

9 11-13), comme celle de certaines formules protocolaires (**1** 19; **3** 9; **5** 4; **7** 3; **8** 5; **9** 13), sont du meilleur effet.

Malgré cela le style demeure sobre et ne répugne pas à la répétition, fastidieuse à notre gré, de certains mots tels que « roi, royal, royauté », ou à celle des noms propres, dans le but probable de souligner l'importance des personnages mis en cause.

Tous ces procédés relèvent de l'art du conteur plus que de celui de l'historien. Les livres canoniques des Maccabées, presque contemporains de celui d'Esther, témoignent d'une autre technique.

On peut cependant penser que le « jour de Mardochée » signalé en 2 M **15** 36 suppose le souvenir d'un événement de la vie en diaspora perse. Il aurait fourni au conteur des « données traditionnelles objectives » (A. Robert).

Esther et la littérature apparentée. Pour apprécier avec justesse ce livre d'Esther il n'est pas inutile de le situer par rapport à d'autres écrits, bibliques ou non, qui ont avec lui une communauté évidente de préoccupations, qui utilisent un lot d'idées, d'images, de mots semblables ou s'inspirent de situations parallèles.

Tels sont, parmi les écrits bibliques, l'histoire de Joseph insérée dans la Genèse (Gn **37, 39-45**, surtout **41**), celle de personnages historiques tels qu'Esdras ou Néhémie, celle de Judith, libératrice tout comme Esther de son peuple opprimé et à deux doigts de sa perte. On pense aussi en lisant Est **7** 1-10 à Mc **6** 21-29.

Au cours du commentaire nous avons encore signalé de nombreux contacts avec la littérature sapientiale, surtout avec les Proverbes. Mais c'est principalement à travers tout le livre de la Sagesse qu'on pourrait trouver une interprétation de l'action de Dieu envers les impies, envers les princes et dans tout le cours de l'histoire, en tout semblable à celle que suggère le livre d'Esther[1].

---

1. On pourra relire sous cet angle Sg **1** 9; **2** 15, 18-25; **3** 4-12; **5** 1-13, 17-23; **6** 1-11; **19** 22.

Comme Joseph, Daniel, et, en partie, Esdras et Néhémie, Mardochée est un opprimé, mais aussi un béni de Dieu qui fait son chemin, gagne la confiance du souverain étranger et finit par devenir le premier personnage du royaume. Comme dans les livres de sagesse le thème du retour de fortune qui fait retomber sur le méchant ses propres méfaits est le thème majeur du livre d'Esther.

Parmi les écrits extra-bibliques on peut citer d'abord les apocryphes : le *3ᵉ Esdras,* principalement dans l'épisode du festin de Darius et de la joute oratoire des trois jeunes gardes du corps aboutissant à un décret libérateur (3 Esd **3-4**, surtout **3** 1-3 et **4** 43-57); le *3ᵉ Maccabées* qui semble être un pastiche hellénistique d'Esther[1].

Il ne faut pas taire non plus les contacts de ce livre avec les histoires d'origine perse que nous a transmises *Hérodote.* Même celle du Lydien Candaule, déjà mentionnée, éclaire celle de Vasthi. Plus précisément encore l'histoire de l'imposture du faux Smerdis, dévoilée par Otanès grâce à la complicité de sa fille introduite au harem royal, fournit un parallèle assez étroit à la trame du livre d'Esther. Dans le récit d'Hérodote

---

1. Ce livre a été édité en traduction anglaise par R. H. CHARLES, *The Apocrypha...,* I, 163-173. On en trouve une version française, moins précise, dans MIGNE : *Dict. des Apocryphes,* I, col. 716-757 (*3ᵉ Encycl. Théol.,* t. 23). En voici la trame : après la bataille de Raphia, Ptolémée Philopator veut visiter la Palestine. Bien accueilli par les autorités de Jérusalem, il se voit néanmoins interdire l'accès du Temple. Furieux, il rentre en Égypte et fait afficher une proclamation anti-juive : qui ne sacrifiera pas aux divinités grecques sera esclave (**2** 22-33). Puis il déclenche un pogrom par un édit (**3** 12-30) : à cause de la singularité de leur vie les Juifs seront recherchés sur tout l'empire, réunis dans l'hippodrome d'Alexandrie et là piétinés par 500 éléphants (**4-5**). Après une série de banquets dans lesquels le roi oublie l'ordre donné, puis en presse l'exécution, les éléphants sont amenés. Mais ils se retournent contre leurs gardiens (**5** 45-6 23). Ce que voyant, le roi déclare avoir été trompé par ses amis et rend un second décret dans lequel il fait l'éloge de la loyauté des Juifs (**7** 1-9). Il les libère, leur permet de festoyer à ses frais sept jours durant et de massacrer leurs coreligionnaires apostats (**7** 10-14). Une fête marquera l'anniversaire de ce jour de libération (**6** 35-39). En plus des deux édits le livre nous donne aussi le texte de deux prières : celle de Simon (**2** 1-20) et celle d'Éléazar (**6** 2-15).

l'incident se termine aussi par un massacre, celui de la tribu des Mages, et sur la mention de l'institution d'une fête annuelle destinée à commémorer ce jour de la revanche perse, la fête de la « Magophonie » (HÉROD., III, 68-79).

Date du livre. En **10** 3[1], le texte grec nous propose une date extrême pour l'origine de la version hellénistique : vers 114 (cf. p. 135, note *a*). Le texte hébreu doit donc être antérieur. En 160, d'après 2 M **15** 36, en Palestine on célébrait une fête commémorative dite « jour de Mardochée ». L'histoire contée au livre d'Esther, et probablement le livre lui-même étaient donc déjà connus à cette date. Si la fête ne porte pas le nom de « fête des Purim » c'est que celle-ci n'avait vraisemblablement pas encore été mise en relation avec notre livre et l'histoire qu'il rapporte[1]. L'esprit assez nationaliste du récit, d'une part, d'autre part le thème du retournement des situations en faveur des justes persécutés qui fait le fond du livre, conseillent de la placer à l'époque sapientiale (soit IVe-Ier siècles av. J. C.), après Daniel grec, mais avant la Sagesse et *3e Maccabées,* beaucoup plus sympathiques aux Grecs[2]. Bien des critiques ont opiné pour la fin de la période perse. D'autres se prononcent pour l'époque hellénistique (vers 140 av. J. C. ?) et pensent que la leçon de confiance qui se dégage du récit viserait à réconforter les Juifs en butte à la malveillance, sinon à une persécution ouverte, ou tout simplement impatients de retrouver leur liberté nationale.

Canonicité. Le livre d'Esther, la « Mégillah » par excellence[3], considéré par les Juifs, postérieu-

---

1. Ceci est corroboré par l'aspect composite de la finale, toute consacrée à authentiquer la célébration de cette fête (**9** 20-32) et par la retouche apparente de **3** 7 (voir note critique *in loco* et plus loin, p. 89).

2. La date du *3e Maccabées,* impossible à fixer avec précision, peut être circonscrite entre la fin du IIe siècle av. J. C. et 70 après.

3. « *me gillâh* » signifie « rouleau ». Le mot désignait les cinq livres lus dans les fêtes spéciales : le Cantique, Ruth, Lamentations, Qohélet (Ecclésiaste), Esther.

rement à l'ère chrétienne (iie-iiie siècles environ) comme plus sacré que les Prophètes, ne connut pas tant de faveur aux époques reculées. Avant notre ère aucune mention explicite n'en est faite. Seul 2 M **15** 36, déjà cité, peut faire soupçonner son existence et sa réception par la Synagogue. Au synode de Jamnia (90 ap. J. C.) les rabbins ne s'entendent pas sur l'opportunité de son admission au Canon des Saintes Lettres. Flavius Josèphe, à la même époque, connaît la fête des Purim, sous le nom qui lui est donné dans le texte grec : Phrouraïa.

Dans l'Église chrétienne le livre est lu très anciennement, sous sa forme grecque. On en trouve des citations chez saint Clément de Rome, Clément d'Alexandrie, Origène, saint Cyrille de Jérusalem, puis saint Jérôme, Rufin, saint Augustin. Avant le Concile de Trente les principales listes des livres canoniques le mentionnent : 60e canon du Concile de Laodicée (360), Concile d'Hippone (392), décret de Gélase, reprenant probablement un canon romain de 382, lettre d'Innocent Ier à Exupère (405); puis les listes des Conciles généraux soit orientaux comme le Concile de Constantinople, dit « in Trullo » (692), soit occidentaux : Concile de Florence (décret pour les Jacobites, 1441) et enfin la liste que définira le Concile de Trente (1546). En se prononçant sur la canonicité des Livres Saints « selon le contenu de l'ancienne Vulgate », le Concile définissait la canonicité du livre d'Esther, les parties grecques comprises, selon la teneur du texte commun.

Le silence de Méliton de Sardes (171), de saint Athanase (370), les réticences assez nettes d'Amphiloque (360), de saint Grégoire de Nazianze (390), et le souci de saint Jérôme de ne pas mêler les sections grecques au texte hébreu n'ont pas affecté la foi de l'Église en l'inspiration du livre en son entier. Les premiers chrétiens ont d'ailleurs utilisé la Bible grecque. Ils n'avaient donc aucune raison de suspecter un livre dont le texte y apparaissait aussi explicitement religieux que tout autre.

Portée religieuse du livre. Du livre d'Esther, même réduit au seul texte hébreu, se dégage le sentiment d'une foi confiante. Malgré le caractère religieusement neutre de ce texte, il est évident que l'auteur est convaincu de l'action incessante de Dieu en faveur de son peuple. L'admonestation de Mardochée à Esther (4 13-17) est suffisamment éloquente.

Jamais nommé, Dieu mène tous les événements du drame, et les acteurs le savent. Si Mardochée est parvenu à un poste important, c'est en tant que Juif, membre du peuple de Dieu. Le lecteur pense tout naturellement à la providence de Yahvé envers Joseph ou Daniel (Gn 45 5-8; Dn 1 9, 17). Il en est de même pour Esther. Son accession au trône royal a un sens. C'est ainsi que s'accompliront les desseins miséricordieux de Dieu sur son peuple (4 14). Le jeûne d'Esther et de ses suivantes (4 16), la pénitence publique de Mardochée (4 1) sont peut-être des marques de douleur, mais ils visent aussi à se rendre Dieu favorable.

Mardochée affiche une confiance invincible dans le salut de son peuple, alors même que la reine se déroberait à toute démarche (4 14). Comme tout bon Juif il a une conception très religieuse de la rétribution morale. En face de lui, le juste, le serviteur intègre, désintéressé, loyal, se dresse Aman, intrigant, fat, susceptible, cruel. En bonne logique le juste doit triompher du méchant. Qui donc opérera le renversement sinon Dieu ? L'auteur tait le nom divin, mais il suppose toujours Dieu en pleine action, conformément à la foi d'Israël. N'est-ce pas Lui qui a délivré Daniel des mains de ses accusateurs ?

Les additions du texte grec n'ont donc pas fait d'un livre profane un livre religieux : elles ont exprimé ce que l'auteur hébreu avait laissé deviner. Tout au plus pourrions-nous dire qu'en deux ou trois passages la paraphrase édifiante du grec dépasse la portée de l'hébreu : en 2 20; 4 17e; 4 17u-y. Dans les deux derniers passages se fait jour une tendance apologétique : il faut innocenter Mardochée du reproche de vanité hautaine et inutile, et Esther de laxisme légal. Les jeunes Hébreux du livre de Daniel et Judith se sont montrés plus intransigeants ! En fait l'attitude de Néhémie, échanson à la cour d'Artaxerxès, la lettre de Jérémie aux exilés timorés (Jr **29** 4-7) autorisaient une certaine liberté d'adaptation.

S'il était besoin d'une apologétique au livre d'Esther, n'aurait-elle pas plutôt à expliquer la complaisance un peu trop affichée en une vengeance bien cruelle et bien passionnée ? C'est beaucoup de sang demandé par la plus sympathique des reines, puis effectivement versé, pour un pogrom demeuré à l'état de projet. Ne suffisait-il pas à Esther de demander le retrait de l'édit persécuteur ? L'auteur du *3ᵉ Maccabées* se montre plus réservé : il n'envisage que le massacre des Juifs apostats. C'était en somme une peine légale. Dans le livre d'Esther, l'outrance même des situations et l'emphase du récit se chargent de désarmer notre scandale. L'auteur n'a rien voulu d'autre qu'illustrer le thème du retournement des situations en faveur des opprimés. Il fallait donc bien que le dessein perpétré par Aman et ses partisans retombât sur leurs têtes (voir notes pp. 123 et 128). Jésus n'était pas encore venu dire aux Juifs, prompts à confondre sans discernement les intérêts de Dieu et les leurs : « Vous ne savez pas de quel esprit vous êtes ! »

Jean Racine en a tiré une émouvante tragédie.

Appendice.
La fête des Purim.

Avec Fl. Josèphe la fête des Purim entre dans l'histoire (*Ant.*, XI, 6, 13). Il nous la présente comme la commémoration, fixée aux 14 et 15 Adar (fin février ou début mars), de la revanche des Juifs de Perse sur leurs ennemis. Le traité « Mᵉgillâh » du Talmud de Jérusalem nous en donne le rituel. Le 13 Adar est un jour de jeûne, le 14 un jour de réjouissances marqué d'étrennes, de banquets, de joie tapageuse. Une lecture du livre d'Esther paraît en être le rite principal. Cette lecture donne lieu à des manifestations exaltées en l'honneur de Mardochée et à la honte d'Aman, copieusement maudit. Des mimes simulent le massacre d'Aman, de ses fils et de tous les ennemis d'Israël.

D'où vient cette fête ? Son nom est d'origine babylonienne. On en a conclu que la fête juive n'était qu'une transposition d'une fête orientale, vraisemblablement perse. Mais aucune des identifications proposées n'a paru satisfaisante[1]. Son caractère de fête bruyante, caractérisée par de copieux banquets, porte à la ranger au nombre des fêtes printanières bien connues dans toutes les civilisations.

A l'origine elle n'était sans doute pas liée à l'histoire d'Esther. En 106 l'auteur du *2e Maccabées* signale un « jour de Mardochée » plus ancien que la fête de la victoire sur Nicanor, mais non pas une fête des Purim. De plus, toutes les allusions aux Purim contenues dans Esther semblent des additions (voir pp. 99 n. *b* et 133 n. *b*). Fl. Josèphe lui-même, tout en suivant le récit biblique, omet d'expliquer le nom de la fête par les « Sorts » qu'aurait consultés Aman, ce que fait le texte hébreu en **3** 7 et **9** 26, et le texte grec avec lui en ce dernier passage.

On peut donc penser qu'une fête des Purim, transposition juive d'une fête perse du printemps, a été anciennement célébrée par les Juifs de la diaspora orientale. En tant que fête profane elle n'a jamais paru dans les calendriers sacrés du judaïsme avant Notre Seigneur. Une secte juive d'Abyssinie, les Falachas, dont les traditions semblent être en dépendance du judaïsme égyptien du Ier siècle, ne connaît pas la fête des Purim. Ceci confirme la lenteur qu'elle mit à s'imposer. A une époque, à situer entre 160 et 114 av. J. C., cette fête aurait été chargée d'un sens nouveau : commémorer la délivrance du peuple par l'entremise d'Esther, se conjuguant ainsi avec le « jour de Mardochée ». Malgré cela elle paraît n'avoir été que bien difficilement admise, les documents cités à la fin du livre d'Esther en témoignent (**9** 29-31). Elle ne perdit pas en effet

---

1. On a nommé : la fête de l'ouverture des tonneaux, les Pithoigia des Grecs ; la fête perse des « Sakea », sorte de bacchanale que régissait un esclave, roi d'un jour, envoyé à la mort le lendemain ; la fête babylonienne de la fixation des destins, liée à la fête de Nouvel An.

son caractère de réjouissance profane et c'est ce qui explique le discrédit que connut le livre d'Esther une fois devenu le livre des Purim. Par contre, lorsque le livre fut sorti vainqueur de l'opposition de certains rabbins à Jamnia et qu'il fut unanimement reçu par les Juifs, la fête y gagna un sens religieux. Déjà Fl. Josèphe l'interprétait comme une fête d'actions de grâces, ce que ne dit pas le texte hébreu.

———————

NOTE SUR LES ADDITIONS DE LA VULGATE

La suite du texte de la Vulgate ayant été répartie selon la disposition du texte grec (p. 91, note *a*), on lira :

Vulg **11** 2-**12** 6 en tête du livre;
13 1-7 après **3** 13;
13 8-**14** 9 après **4** 17;
15 1-3 après **4** 8;
15 4-19 à la place de **5** 1-2 hébreu;
16 1-24 après **8** 12.

ESTHER

PRÉLIMINAIRES

**Songe
de Mardochée**[a].

1. [1a] *La deuxième année
de règne du grand roi Assué-
rus*[b], *le premier jour de Nisan*[c],
un songe[d] *vint à Mardochée*[e],

---

1 1a-1r = *Vulg* **11** 2-12 6. *S. Jérôme fait précéder son texte de la note suivante :*
« *Ce début figurait aussi dans l'édition Vulgate (c'est-à-dire : l'édition grecque
courante), mais il ne se trouve ni dans l'hébreu, ni dans aucune autre traduction.* »

a) Cette introduction et les autres passages conservés seulement dans
le grec ont été placés par saint Jérôme en appendice de sa traduction latine
du texte hébreu. Reçus par l'Église, ils font partie du texte inspiré. Nous
les replaçons ici dans leur contexte en suivant la disposition du texte grec.
L'italique et une numérotation spéciale les distinguent des sections qui
ne paraissent que dans l'hébreu. La numérotation marginale indique leur
place dans la Vulgate latine.

b) Les Juifs désignaient sous ce nom le roi Xerxès (cf. Esd **4** 6). Le
texte grec porte abusivement Artaxerxès, confondant le nom de ce souverain avec celui de trois de ses successeurs. Pour maintenir l'unité de
traduction nous avons employé, même dans les parties grecques du livre,
le nom d'Assuérus devenu traditionnel par l'usage de la Vulgate.

c) Le premier mois de l'année religieuse juive. Il correspond à une
période chevauchant sur les mois de mars-avril.

d) Le texte hébreu ne parle pas d'un songe de Mardochée. Le texte
grec, peut-être sous l'influence de récits bibliques tels que l'histoire de
Joseph (Gn **40** 8; **41** 1) et celle de Daniel (Dn **2** 1, 19; **4** 2, 16 et **7-12**) et
pour attirer dès le début l'attention du lecteur sur l'intervention providentielle de Dieu en cette affaire (cf. **1** 1¹), en présente la trame sous la
forme énigmatique et apocalyptique d'un songe, dont la clef sera donnée
en conclusion (**10** a-k).

e) Le nom de Mardochée, dérivé de celui du dieu babylonien Mardouk,
est encore attesté en Esd **2** 2 et Ne **7** 7 dans une liste des chefs de famille
« de Juda et de Benjamin » (Esd **1** 5) qui reviennent de Babylone avec
Sheshbaççar.

fils de Yaïr, fils de Shiméï, fils de Qish, de la tribu de Benjamin[a],
3 1[b] *Juif établi à Suse*[b] *et personnage considérable comme attaché*
4 *à la cour.* 1[c] *Il était du nombre des déportés que, de Jérusalem,*
   le roi de Babylone, Nabuchodonosor, avait emmenés en captivité
   avec le roi de Juda, Jéchonias[c].

5   1[d] *Or, voici quel fut ce songe. Cris et fracas, le tonnerre*
6 *gronde, le sol tremble, bouleversement sur toute la terre.* 1[e] *Deux*
   énormes dragons s'avancent, l'un et l'autre prêts au combat.
7 *Ils poussent un hurlement ;* 1[f] *il n'a pas plus tôt retenti que*
   toutes les nations se préparent à la guerre contre le peuple des
8 *justes*[d]. 1[g] *Jour de ténèbres et d'obscurité ! Tribulation, détresse,*
9 *angoisse, épouvante fondent sur la terre.* 1[h] *Bouleversé de terreur*
   devant les maux qui l'attendent, le peuple juste tout entier se
10 *prépare à périr et crie vers Dieu.* 1[i] *Or, à son cri, comme d'une*
   petite source, naît un grand fleuve, des eaux débordantes. 1[k] *La*

---

a) Voir encore 1 S **9** 1 ; **14** 51 ; 1 Ch **8** 33 et 2 S **16** 5-8 ; 1 R **2** 8, 36-46 où les deux noms de Qish et de Shiméï sont portés par des Benjaminites.

b) Suse, ville située à l'est de Babylone et au sud d'Ectabane, était la résidence hivernale des rois de Perse, la très ancienne capitale de l'Élam (cf. HÉRODOTE, III, 30, 65, 70 ; XÉN., *Cyr.*, VIII, 6, 22 ; STRABON, XV, 3, 2). En Ne **1** 1 comme en Est **1** 2 ; **2** 3, etc., il est question de la « citadelle » de Suse (voir note à **1** 2). Le grec dit simplement « la ville » ou comme ici « la grande ville ». Les palais de Darius et de Xerxès, restaurés par Artaxerxès II, ont été exhumés par Dieulafoy et Morgan.

c) Cf. 2 R **24** 8, 15 où ce même roi est nommé Joiakîn. Il n'apparaît sous le nom de Jékonias que chez les Prophètes : Jérémie (**24** 1 ; **27** 20 ; **28** 4 et Konias, Jr **22** 24, 28) et Baruch (**1** 3, 9). Voir encore 1 Ch **3** 16 ; Est **2** 6 ; Mt **1** 11 s. — L'auteur ne s'embarrasse pas de précisions chronologiques. Dressant la généalogie de Mardochée, il ne retient que les noms essentiels de la lignée de Benjamin : Qish, père de Saül (vers 1050), et Shiméï, contemporain de David (vers 1000). De même il fera de Mardochée un courtisan d'Assuérus (vers 480 av. J. C.) et un déporté contemporain de Jékonias (vers 598), ce qui lui donnerait environ 150 ans.

d) Les livres bibliques d'origine grecque emploient plutôt les expressions « le peuple saint » (Sg **10** 15 ; 2 M **15** 24 ; Dn **7** 27 LXX) ou « le peuple des saints » (Dn **8** 24), ou simplement « les justes » (Sg **16** 23 ; **18** 7, 20), « les saints » (Sg **18** 1, 5, 9...) par opposition aux païens. En parlant à Dieu on dit « ton peuple » (Sg **12** 19 ; **18** 7 ; **19** 22 et dans l'apocryphe 3 M **2** 6).

¹¹ *lumière*^a *se lève avec le soleil. Les humbles sont exaltés et dévorent les puissants*^b.

¹²   ^{1l} *A son réveil, Mardochée, devant ce songe et la pensée des desseins de Dieu, y porta toute son attention et, jusqu'à la nuit, s'efforça de multiples façons d'en pénétrer le sens.*

¹   ^{1m} *Mardochée logeait à la*
Complot   *cour avec Bigtân et Téresh*^c,
contre le roi.   *deux eunuques du roi, gardes*
²   *du palais.* ¹ⁿ *Ayant eu vent de*
ce qu'ils machinaient et pénétré leurs desseins, il découvrit qu'ils s'apprêtaient à porter la main sur le roi Assuérus, et le mit
³ *au courant.* ^{1o} *Le roi fit donner la question aux deux eunuques,*
⁴ *et, sur leurs aveux, les envoya au supplice.* ^{1p} *Il fit ensuite consigner l'histoire dans ses Chroniques*^d *cependant que Mardochée, de*
⁵ *son côté, la couchait aussi par écrit.* ^{1q} *Puis le roi lui confia une fonction au palais et, pour le récompenser, le gratifia de présents*^e.

1^m. « *dormait* » *avec Luc.*; « *était tranquille* » *G* ; « *demeurait* » *Vulg.*

---

a) La lumière, opposée ici à l'obscurité et aux ténèbres du v. 1^f, indique aussi au sens métaphorique la joie de la délivrance (cf. **8** 16 et Ps **112** 4; Is **49** 9, etc.) opposée aux tribulations et à l'angoisse. En Sg **5** 6 la même métaphore a un sens moral.

b) La Bible, surtout à l'époque post-exilique, exprime souvent l'espoir indéfectible des « pauvres de Yahvé » en une réhabilitation (cf. 1 S **2** 8; Ez **21** 31; Jb **5** 11). L'accent n'en est pas inconnu dans le monde païen. On le trouve dans une harangue de Xénophon à ses soldats (*Anab.*, 3, 2, 10) et dans une prière égyptienne à Amon (*Pap. Anastasi*, II, 9, 1); cf. aussi VIRGILE, *Énéide*, VI, 853.

c) Les noms propres, dont la forme est variable selon les textes, et parfois les différents manuscrits d'un même texte, ont été transcrits et unifiés selon la LXX ou TM. Ici nous lisons Téresh avec Vulg **2** 21 (Tharès), contre Vulg **12** 1 (Thara), selon le texte hébreu. — Sur ce complot, cf. **2** 21-23 et **6** 2-3.

d) Il sera encore question de ces « Chroniques » en **6** 1 et **10** 2. Le narrateur laisse entendre qu'il y a puisé le thème de son récit, épisode de l'histoire de Mardochée.

e) Cette donnée est en opposition à ce qui sera dit en **6** 3.

6   ¹ʳ *Mais Aman, fils de Hamdata, l'Agagite[a], avait la faveur du roi, et, pour cette affaire des deux eunuques royaux, il médita de nuire à Mardochée[b].*

I

ASSUÉRUS ET VASTHI

Festin d'Assuérus.

1. ¹ C'était au temps d'Assuérus, cet Assuérus dont l'empire s'étendait de l'Inde à l'Éthiopie, soit sur cent vingt-sept provinces[c]. ² En ce temps-là, comme il siégeait sur son trône royal, à la citadelle[d] de Suse, ³ la troisième année de son règne, il donna un banquet, présidé par lui, à tous ses grands

---

1ʳ. *Au lieu de « l'Agagite », G lit « le Bougéen »; Luc. « le Macédonien ». Nous restituons ici la forme proposée par H en* **3** *1 et lue ici même par la Vulg. A la fin du v.* (**12** 6) *Vulg porte : « Ici finit le prologue ».*

---

a) Voir plus loin note à **3** 1.

b) Selon l'hébreu (**3** 6) la haine d'Aman pour Mardochée aurait une cause plus personnelle.

c) Ce nombre se trouve déjà dans Dn **6** 2 (LXX. Théodotion porte 120, de même T. M.) qui parle des « satrapes » du royaume de Darius. Ici il est question de « provinces » (*mᵉdînôt*); et les « gouverneurs de provinces » sont distingués des « satrapes » en **3** 12. En tous cas les satrapies ne furent jamais plus de 31 sous les Achéménides. On sait par Ne **5** 14 qu'un « gouverneur de province » (*pèḫâh*) était établi à Jérusalem, qui dépendait de la 5ᵉ satrapie, l'Arabayâ (Mésopotamie septentrionale, Syrie, Phénicie, Palestine) selon HÉRODOTE, III, 89-91.

d) La citadelle formait, à Suse, un quartier distinct de la ville proprement dite, dont il était séparé par la rivière Choaspès, et du palais royal, situé à l'Apadâna. Elle pouvait servir de refuge au roi et à sa garde en cas de troubles. L'auteur situe l'essentiel du drame dans le palais royal et le distingue de la citadelle (**3** 15; **8** 14; **9** 11). En hébr. moderne *bîrâh* désigne la capitale.

officiers et serviteurs[a] chefs de l'armée des Perses et des
Mèdes, nobles et gouverneurs de provinces. [4] Il voulait
étaler à leurs yeux la richesse et la magnificence de son
empire ainsi que l'éclat splendide de sa grandeur, pendant
une longue suite de jours, exactement cent quatre-vingts.

[5] Ce temps écoulé, ce fut alors toute la population de
la citadelle de Suse, du plus grand au plus petit, qui se vit
offrir par le roi un banquet de sept jours, dans l'enclos
contigu au palais royal. [6] Ce n'étaient que tentures de toile
blanche et de pourpre violette attachées par des cordons
de byssus et de pourpre rouge, eux-mêmes suspendus à
des anneaux d'argent fixés sur des colonnes de marbre
blanc, lits d'or et d'argent posés sur un dallage de pierres
rares, de marbre blanc, de nacre et de mosaïques[b] ! [7] Pour
boire, des coupes d'or, toutes différentes, et abondance de
vin offert par le roi à la mesure d'une libéralité de souverain. [8] L'ordonnance royale toutefois ne contraignait pas
à boire, le roi ayant prescrit à tous les officiers de sa maison que chacun fût traité comme il l'entendait[c].

---

3. *Lire : « chefs de l'armée... »*; H « *l'armée des Perses... »*; G « *aux
dignitaires des Perses et des Mèdes et aux chefs des satrapes »*.

a) De tels banquets sont fréquemment mentionnés dans les récits qui
ont pour cadre une cour royale (Gn **40** 20; 1 R **3** 15; Dn **5** 1; 3 M **5** 2, 36;
6 33 et Mc **6** 21). Par le terme de « serviteurs » employé ici et ailleurs, il
faut entendre les officiers et hauts fonctionnaires, comme le spécifie la
fin du v. Dn **5** 1 et Mc **6** 21 ne parlent d'ailleurs que des princes ou des
officiers importants de la cour. Au v. 5 on parlera d'un banquet populaire
de sept jours (en 3 M **6** 30, à rapprocher de **7** 17, le roi ordonne de fournir
aux Juifs, miraculeusement préservés de la mort qu'il leur avait préparée,
de quoi banqueter sept jours durant).

b) L'auteur veut donner une idée du faste légendaire de la cour perse.
Cette description, sans doute un peu fantaisiste et très librement inter-
prétée par les versions, s'accorde en gros avec ce que les fouilles de Suse
ont révélé du luxe du palais royal.

c) FL. JOSÈPHE (*Ant.*, XI, 6, 1) laisse entendre que les Perses aimaient
à pousser leurs convives à la boisson. Le récit biblique, en soulignant sur
un point de détail le libéralisme perse, accuse d'autant plus violemment
l'ostracisme dont Assuérus va faire preuve à l'égard des Juifs.

L'affaire Vasthi.   [9] La reine Vasthi[a], de son côté, avait offert aux femmes un festin dans le palais royal d'Assuérus. [10] Le septième jour, mis en gaîté par le vin[b], le roi ordonna à Mehumân, à Bizzeta, à Harbona, à Bigta, à Abgata, à Zétar et à Karkas, les sept eunuques attachés au service personnel du roi Assuérus, [11] de lui amener la reine Vasthi coiffée du diadème royal, en vue de faire montre de sa beauté[c] au peuple et aux grands officiers. Le fait est qu'elle était très belle. [12] Mais la reine Vasthi refusa de venir selon l'ordre du roi que les eunuques lui avaient transmis. L'irritation du roi fut extrême et sa colère s'enflamma. [13] Il appela en consultation les sages[d] versés dans la science des lois, — car c'était l'usage que les affaires du roi fussent traitées devant des experts, légistes et juristes. [14] Il fit venir près de lui Karshena, Shétar, Admata, Tarshish, Mérès, Marsena et Memukân, sept grands officiers perses et mèdes admis à voir la face du roi[e]

---

9. « *Vasthi* »; *G* « *Astin* »; *Luc.* « *Ouastin* ».

10. *Les noms des serviteurs sont totalement différents selon le grec et varient avec les Mss. Luc. ne donne aucun nom.*

13. « *la science des lois* » avec *Luc.* qui nomme « *les sages qui connaissent loi et jugement* »; « *la science des temps* » *H* ; « *il dit à ses amis* » *G*.

14. *G* « *Arkesaios, Sarsathaios et Malêsear* »; *Luc.* ne cite aucun nom.

---

a) Hérodote nomme Amestris comme épouse de Xerxès et reine de Perse (IX, 108-113). Hors du récit biblique nulle mention n'est faite de Vasthi ni d'Esther.

b) Cf. Dn **5** 1-4; 3 M **5** 15-18, 36 s.

c) Cf. Hérodote (I, 8-12) et introduction, p. 82, note 2. — L'irritation des puissants à qui l'on résiste est un trait constant des récits de cour, Jdt **1** 12; Dn **3** 13; **6** 15; 3 M **3** 1; **4** 13; **5** 42, 47, qui se retrouve souvent chez Hérodote, en particulier à propos de Xerxès (VII, 35).

d) Cette consultation des « sages » est aussi attestée en Dn **2** 2, 12, 24, 48; **5** 7-12. Les astrologues y sont d'ailleurs mêlés aux conseillers. Les légistes apparaissent en Dn **3** 2.

e) Être admis à voir la face du roi paraît être une expression technique, équivalente à faire partie du conseil royal (cf. 2 R **25** 19).

et siégeant aux premières places du royaume. ¹⁵ « Selon la loi, dit-il, que faut-il faire à la reine Vasthi pour n'avoir pas obtempéré à l'ordre du roi Assuérus que les eunuques lui transmettaient ? » ¹⁶ Et en présence du roi et des grands officiers Memukân répondit : « Ce n'est pas seulement contre le roi que la reine Vasthi a mal agi, c'est aussi contre tous les grands officiers et contre toutes les populations répandues à travers les provinces du roi Assuérus. ¹⁷ La façon d'agir de la reine ne manquera pas de venir à la connaissance de toutes les femmes qui n'en seront que plus portées à mépriser leurs maris en leur for intérieur. ' Le roi Assuérus lui-même, pourront-elles dire, avait donné l'ordre de lui amener la reine Vasthi, et elle n'est pas venue ! ' ¹⁸ Pas plus tard qu'aujourd'hui les femmes des grands officiers perses et mèdes vont être informées de la réponse de la reine : de quel ton n'oseront-elles pas parler à tous les grands officiers du roi ! et ce sera grand mépris et grande colère[a]. ¹⁹ Si tel est le bon plaisir du roi, qu'un édit émané de lui s'inscrive, irrévocable[b], parmi les lois des Perses et des Mèdes, pour interdire à Vasthi de paraître en présence du roi Assuérus, et que le roi confère sa qualité de reine à une autre qui vaille mieux qu'elle. ²⁰ Puis l'ordonnance portée par le roi sera promulguée dans tout son royaume et lors, à leurs maris, du plus grand jusqu'au plus humble, les femmes rendront honneur. »

²¹ Ce discours plut au roi et aux grands officiers, et le

---

a) La raison d'État avancée par le conseiller royal pour perdre Vasthi sera aussi invoquée par Aman pour perdre Mardochée et les Juifs (**3** 8), puis par Esther pour perdre Aman (**7** 4).

b) Le thème de l'édit irrévocable est très exploité dans la littérature biblique d'inspiration perse (cf. Dn **6** 8-10 où les conseillers royaux de Darius jouent le même rôle que ceux d'Assuérus; **6** 13, 16; Dn **3** 10-12 suppose une semblable persuasion). De fait, dans Daniel (**6** 27 s) et dans Esther (**8** 5, 8, malgré la formule) le décret antérieur sera rendu caduc en faveur des Juifs. Peut-être y a-t-il là une subtile ironie de l'écrivain juif.

roi suivit l'avis de Memukân. ²² Il envoya des lettres à
toutes les provinces de l'empire, à chaque province selon
son écriture et à chaque peuple selon sa langue^a, afin que
tout mari fût maître chez lui^b.

II

MARDOCHÉE ET ESTHER

2. ¹ Quelque temps après,
Esther devient reine. sa fureur calmée, le roi Assuérus se souvint de Vasthi, il
se rappela la conduite qu'elle avait tenue, les décisions
prises à son sujet^c. ² Les courtisans de service auprès
du roi lui dirent : « Que l'on recherche pour le roi des
jeunes filles, vierges et belles. ³ Que le roi constitue
des commissaires dans toutes les provinces de son royaume

22. *H ajoute : « et qu'il parle la langue de son peuple », omis avec G. Luc.
omet tout le v. Vulg lit : « Il envoya des lettres à toutes les provinces de son royaume,
afin que toute nation pût entendre et lire, dans les diverses langues et écritures, que
les hommes sont chez eux les chefs et les maîtres, et que cela fût divulgué parmi
tous les peuples. »*

a) Cf. Dn **3** 4; **6** 26. L'empire perse réunissait de nombreux peuples
d'origine ethnique fort diverse, ce qui explique cette multiplicité de langues et d'écritures. Des monuments épigraphiques trouvés à Persépolis,
Béhistoun, datant de Darius Ier, sont trilingues.

b) Le texte grec suggère de ne pas voir là une dernière clause de l'édit,
décrétant que les maris soient désormais maîtres chez eux. Ce renforce-
ment de l'ordre familial n'est qu'une conséquence de la sanction prise
contre la reine (cf. **1** 20).

c) Selon l'hébreu, le roi regrette le départ de Vasthi, et les courtisans,
qui ont pris toutes les précautions pour rendre l'arrêt irrévocable, s'emploient à tourner vers un autre objet les désirs royaux. Le texte grec : « Et
il ne s'occupa plus d'Astin », et celui de Lucien : « C'est ainsi que l'on cessa
de faire mention d'Ouastin », suggèrent une tout autre attitude d'Assuérus.

afin de rassembler tout ce qu'il y a de jeunes filles vierges
et belles[a] à la citadelle de Suse, dans le harem, sous l'autorité de Hégé, eunuque du roi, gardien des femmes. Celui-ci
leur donnera tout ce qu'il faut pour se parer [4] et la jeune
fille qui aura plu au roi succédera comme reine à Vasthi. »
L'avis convint au roi, et c'est ce qu'il fit.

[5] Or, à la citadelle de Suse vivait un Juif nommé Mardochée, fils de Yaïr, fils de Shiméï, fils de Qish, de la tribu
de Benjamin, [6] qui avait été exilé de Jérusalem parmi les
déportés emmenés avec le roi de Juda, Jéchonias, par le
roi de Babylone, Nabuchodonosor[b], [7] et élevait alors une
certaine Hadassa, autrement dit Esther[c]. Fille de son
oncle, orpheline de père et de mère, elle avait belle pres-
tance et agréable aspect, et, à la mort de ses parents, Mardochée l'avait prise avec lui comme si elle eût été sa fille[d].

[8] L'édit royal proclamé, une foule de jeunes filles furent
donc rassemblées à la citadelle de Suse et confiées à Hégé.
Esther fut prise et amenée au palais royal. Or, confiée

---

2 7. *G lit à la fin :* « *Il l'avait élevée dans le but d'en faire sa femme.* » *Il nomme l'oncle de Mardochée* « *Amminadab* » (*cf.* **2** 15 *où Vulg a* « *Abiḥaïl* », *avec* H).

---

a) Dans le livre d'Esther le mot « tout » est d'un emploi surabondant, qui donne au récit une emphase bien orientale. Nous avons cru bon de le supprimer assez fréquemment dans cette traduction. L'exagération apparaît nettement dans ce v. Cf. 1 R **11** 3, qui donne à Salomon un harem de 1.000 personnes !

b) Cf. **1** 1[a-c].

c) Pour Mardochée, dont le nom évoque celui du dieu babylonien Marduk, on ne rappelle aucun nom proprement hébreu. A côté du nom d'Esther, sans doute d'origine babylonienne (*Ishtar*) comme celui de Mar-dochée à moins qu'il ne représente le persan *stareh,* « étoile », l'auteur cite un nom hébreu : Hadassa, « myrte ». Il n'insinue cependant pas qu'il se soit agi d'un changement de nom comme pour Joseph introduit à la cour égyptienne (Gn **41** 45) et pour les trois jeunes gens de Dn **1** 7.

d) La tradition juive postérieure à l'ère chrétienne, suivant la lecture du traducteur grec, a fait d'Esther la femme de Mardochée. Au lieu du texte hébreu actuel : Mardochée l'avait prise avec lui « pour fille » (*l^ebat*), on a lu « pour sa maison » (*l^ebayit*), c'est-à-dire « comme épouse ».

comme les autres à l'autorité de Hégé, gardien des femmes, [9] la jeune fille lui plut et gagna sa faveur. Il prit à cœur de lui donner au plus vite ce qui lui revenait pour sa parure et pour sa subsistance[a], et de plus, lui attribua sept suivantes choisies de la maison du roi, puis la transféra, avec ses suivantes, dans un meilleur appartement du harem. [10] Esther n'avait révélé ni sa parenté ni son origine, car Mardochée le lui avait défendu. [11] Chaque jour celui-ci se promenait devant le vestibule du harem pour avoir des nouvelles de la santé d'Esther et de tout ce qui lui advenait.

[12] Chaque jeune fille devait se présenter à son tour au roi Assuérus au terme du délai fixé par le statut des femmes, soit douze mois. L'emploi de ce temps de préparation était tel : pendant six mois les jeunes filles usaient de l'huile de myrrhe, et pendant six autres mois du baume et des onguents ordinaires aux femmes pour le soin de leur beauté. [13] Pour se présenter au roi, chaque jeune fille pouvait demander tout ce qu'elle voulait, on le lui fournissait, et elle le prenait avec elle en passant du harem au palais royal. [14] Elle s'y rendait au soir et, le lendemain matin, regagnait un autre harem, confié à Shaashgaz, l'eunuque royal préposé à la garde des concubines. Elle ne retournait pas vers le roi à moins que le souverain ne la rappelât nommément par l'effet d'une complaisance particulière[b].

[15] Mais Esther, fille d'Abihayil, lui-même oncle de Mar-

---

a) La situation d'Esther est assez semblable à celle des trois jeunes gens en Dn **1** 3-20 : recrutement pour le service du roi (v. 3), exigence de beauté corporelle (v. 4), préparation destinée à les rendre agréables au souverain (v. 4), faveur du chef des eunuques (v. 9), présentation au roi (v. 18), préférence accordée à Daniel (vv. 19-21). Mais la faveur des jeunes Hébreux auprès du roi, qui connaît leur origine, est nettement rapportée à une protection divine due à leur fidélité à la Loi (v. 9, cf. Est **2** 20 grec).

b) Nous apprendrons plus loin (**4** 11) qu'Esther elle-même, devenue pourtant la favorite, sera quelque peu délaissée par le roi.

dochée et de qui celui-ci l'avait reçue, la traitant ensuite comme sa fille, son tour venu de se rendre chez le roi, ne demanda rien d'autre que ce qui lui fut indiqué par l'eunuque royal Hégé, commis à la garde des femmes. Et voici qu'Esther conquit tous ceux qui la virent. [16] Elle fut conduite au roi Assuérus, au palais royal, le dixième mois, qui est Tébèt, en la septième année de son règne, [17] et le roi la préféra à toutes les autres femmes, elle trouva devant lui faveur et grâce plus qu'aucune autre jeune fille. Il posa donc le diadème royal sur sa tête et la choisit pour reine à la place de Vasthi[a].

[18] Après cela le roi donna un grand festin, le festin d'Esther, à tous les grands officiers et serviteurs, accorda un jour de repos à toutes les provinces et prodigua des présents avec une libéralité royale.

Mardochée et Aman. [19] En passant, comme les jeunes filles, dans le second harem[b], [20] Esther n'avait révélé ni son origine ni sa parenté, ainsi que le lui avait prescrit Mardochée dont elle continuait à observer les

---

16. *G porte : « le 12e mois, celui d'Adar »; Syr : « la 4e année ».*

19. *H et Vulg lisent ainsi ce v. : « Lorsque les jeunes filles furent rassemblées pour la deuxième fois, Mardochée siégeait à la Porte »; G : « Mardochée était en fonction dans le palais »; Luc. omet les vv. 19-23. Le sens n'est satisfaisant ni dans H et Vulg, ni dans G. Dans tous ces textes la mention de Mardochée et de sa fonction est inattendue (elle revient d'ailleurs, bien en place, au v. 21 H et Vulg, pas en G). Le deuxième rassemblement est inexplicable. Nous supposons que le texte portait : ... beḇêt hannâšîm šénî (cf. **2** 14), lu, à cause d'une corruption matérielle du texte, simplement šénît, « pour la seconde fois ». La mention de Mardochée serait due à une dittographie avec le v. 21.*

---

a) Dans tout ce récit rien ne paraît des sentiments d'horreur pour le diadème royal, la couche des incirconcis et les mets de la table royale que, dans le texte grec, Esther exprimera au Seigneur (**4** 17[a-y]).

b) Le texte hébreu, corrompu, semble faire allusion au transfert mentionné plus haut (v. 14).

instructions comme au temps où elle était sous sa tutelle[a].
21 Mardochée était alors attaché à la Royale Porte[b]. Mécontents, deux eunuques royaux, Bigtân et Téresh, du corps des gardes du seuil, complotèrent de porter la main sur le roi Assuérus. 22 Mardochée en eut vent, informa la reine Esther et celle-ci, à son tour, en parla au roi au nom de Mardochée. 23 Après enquête, le fait se révéla exact. Les deux conjurés furent envoyés au gibet et, en présence du roi, une relation de l'histoire fut consignée dans le livre des Chroniques.

3. 1 Quelque temps après, le roi Assuérus distingua Aman, fils de Hamdata, du pays d'Agag[c]. Il l'éleva en dignité, lui accorda prééminence sur tous les hauts fonctionnaires, ses collègues, 2 et un ordre royal prescrivit à tous les serviteurs du roi, préposés au service de sa Porte, de fléchir le genou et de se prosterner devant lui[d]. Mar-

---

a) Le grec est ici plus religieux que l'hébreu. Il lit : « Quant à Esther, elle n'avait pas fait connaître sa patrie. Mardochée lui avait en effet recommandé de craindre Dieu et d'observer ses commandements comme au temps où elle était avec lui. Et Esther n'avait pas changé de conduite. » La mention de la fidélité d'Esther à son éducation religieuse paraît être une glose édifiante, sans liaison avec le contexte (cf. Dn 1 8).

b) Ce terme revient souvent dans le livre. En 4 2, 7; 5 9; 6 12 il indique un bâtiment. En 2 19 (hébr.), ici et en 6 10 il indique un ensemble de services royaux : service des audiences, chancellerie, service du courrier. En 3 2 il s'agit sans doute du personnel de ces services. Mardochée est donc un attaché au service de la Porte. Notre traduction en cherchant à rendre différemment la valeur de ces textes : « Porte Royale » pour les bâtiments et « Royale Porte » pour les services, utilise un terme de la chancellerie orientale moderne qui est bien en place ici.

c) Ce pays d'Agag, situé vraisemblablement en Médie (en 8 12[k] Aman est considéré comme étranger au sang perse), nous est inconnu. Par contre le nom d'Agag paraît en 1 S 15 7-9 comme celui d'un roi d'Amaleq vaincu par Saül. Ici le nom a pu être choisi à dessein pour accentuer l'opposition entre Mardochée, benjaminite et fils de Qish, comme Saül, et Aman « du pays d'Agag », qui portera l'anathème lancé contre Amaleq (Ex 17 14; Dt 25 17-18).

d) L'attitude hautaine de Mardochée en face d'Aman n'est pas à confondre avec celle des quatre enfants judéens s'abstenant des mets impurs

dochée refusa de fléchir le genou et de se prosterner.
³ « Pourquoi transgresses-tu le décret royal ? » dirent à
Mardochée les serviteurs du roi préposés à la Royale
Porte. ⁴ Mais ils avaient beau le lui répéter tous les jours,
il ne les écoutait pas. Ils dénoncèrent alors le fait à Aman,
curieux de voir si Mardochée persisterait dans son attitude (car il leur avait dit qu'il était Juif). ⁵ Aman put
en effet constater que Mardochée ne fléchissait pas le
genou devant lui ni ne se prosternait : il en prit un
accès de fureur. ⁶ Comme on l'avait instruit de la race
de Mardochée, il lui parut que ce serait peu de ne
frapper que lui et il prémédita de faire disparaître, avec
Mardochée, tous les Juifs établis dans l'empire entier
d'Assuérus ᵃ.

(Dn **1** 8), ni avec celle des trois Hébreux refusant d'adorer la statue du
roi (Dn **3** 12), ni avec celle de Daniel passant outre à l'interdiction royale
de prier le vrai Dieu (Dn **6** 14). Dans ces refus s'exprimait une fidélité
héroïque à Dieu et à la Loi. Mais la prostration exigée par l'édit royal,
geste de déférence admis dans toutes les cours orientales et attesté dans la
Bible (cf. 1 R **2** 19; **1** 23; 2 R **4** 37, etc.), aussi bien qu'en Perse (HÉROD.,
VII, 136), n'avait rien en soi qui pût offusquer un Juif. Mardochée
met dans son refus, que la prière du texte grec interpréta dans un
sens religieux (**4** 17ᵈ⁻ᵉ), une fierté raciale non sans grandeur. Devant
Aman, adversaire de son peuple, il se refuse à un geste d'obséquiosité,
si légitime soit-il du point de vue religieux. Ce faisant il s'engage, lui
et ses coreligionnaires, dans la voie de la résistance à un absolutisme
indigne.

a) En Dn **3** 13-20, seuls Daniel et ses compagnons qui ont excité la
fureur du roi entrent en ligne de compte. Ici l'attitude de Mardochée
engage tout le peuple juif.

III

LES JUIFS MENACÉS

**Décret
d'extermination
des Juifs.**

[7] L'an douze d'Assuérus, le premier mois, qui est Nisan, on tira, sous les yeux d'Aman, le « Pûr[a] » (c'est-à-dire les sorts), par jour et par mois. Le sort étant tombé sur le douzième mois, qui est Adar, [8] Aman dit au roi Assuérus[b] : « Au milieu des innombrables populations de ton royaume dans toutes

---

3 7. G : « *Et il fit un décret en l'an douze du roi Artaxerxès et il jeta les sorts jour par jour et mois par mois pour détruire en un seul jour la race de Mardochée. Et le sort tomba sur le quatorzième jour du mois qui est Adar.* »

---

a) En réalité Aman décide l'extermination. Selon le texte il ne demande au sort que de désigner le jour favorable. — Le mot *Pûr,* qui n'est pas hébreu (l'auteur prend d'ailleurs soin de l'expliquer par le mot *gôrâl*), est un mot babylonien. On le mentionne ici parce qu'il donne l'étymologie de la fête dite des « Purim » (**9** 24-26), voir l'introduction, p. 88). On est tenté de voir dans le v. 7 une glose introduite dans le récit en même temps que la section finale concernant cette fête (**9** 20-32); la suite serait aussi satisfaisante sans ce v. On ne nous dit pas dans l'hébreu qui jeta les sorts, ni dans quel but, ni sur quel jour du mois d'Adar tomba le sort. Le rédacteur du texte grec s'est aperçu du laconisme exagéré de l'hébreu. Certains exégètes supposent que les précisions ajoutées par le texte grec se trouvaient dans le texte hébreu d'où elles seraient tombées par suite d'un homoiotéleuton dont la double mention du mot « mois » serait responsable. Il est aisé de voir que cette solution n'explique pas parfaitement la divergence des deux textes.

b) Lucien paraphrase ainsi : « Aman, jaloux et agité en tous ses sentiments, en devint rouge et détourna de lui ses yeux. Puis, d'un cœur pervers, il parla en mal d'Israël au roi : ' Il y a un peuple, dit-il, dispersé dans tous les royaumes, un peuple belliqueux et insoumis, ayant des lois toutes particulières. Mais de tes lois, ô roi, ils ne tiennent pas compte, connus qu'ils sont parmi tous les peuples comme de méchantes gens. Tes décrets, ils les violent afin d'anéantir ta gloire '. »

les provinces est dispersé un peuple inassimilable. Ses
lois ne ressemblent à celles d'aucun autre et les décrets
royaux sont pour lui lettre morte[a]. Les intérêts du roi ne
permettent pas de le laisser tranquille. [9] Que le roi veuille
donc trouver bon de signer sa perte et je verserai à ses
fonctionnaires, au compte du Trésor royal[b], dix mille
talents d'argent. »

[10] Le roi ôta alors son anneau de sa main[c] et le donna à
Aman, fils de Hamdata, le persécuteur des Juifs. [11] « Garde
ton argent, lui répondit-il. Quant à ce peuple, je te le livre,
fais-en ce que tu voudras ! »

[12] Une convocation fut donc adressée aux scribes royaux
pour le treize du premier mois en vue d'établir les exem-
plaires des ordres adressés par Aman aux satrapes du roi,
aux gouverneurs de chaque province et aux grands officiers de chaque peuple, selon l'écriture de chaque province et la langue de chaque peuple[d]. Le rescrit fut signé
du nom d'Assuérus, scellé de son anneau, [13] et des courriers transmirent à toutes les provinces du royaume des
lettres mandant de détruire, tuer et exterminer tous les
Juifs, depuis les adolescents jusqu'aux vieillards, enfants
et femmes compris, le même jour, à savoir le treize du
douzième mois, qui est Adar, et de mettre à sac leurs biens.

---

a) Les griefs formulés ici contre les Juifs : vivre en marge des autres
hommes, obéir à des lois différentes de celles du commun, ne pas observer
les décrets royaux, se retrouvent dans plusieurs écrits de l'époque hellénistique : Daniel et ses compagnons ne mangent pas comme les autres
(Dn **1** 8, cf. Jdt **12** 2; cf. Sg **2** 13 s), ils se refusent à observer l'édit royal
(Dn **3** 8-12; cf. Esd **4** 12 s). Mêmes griefs en 3 M **3** 3-7, 18-24; et plus loin
Est **3** 13[d-e].
b) Cette offre d'argent sera considérée en **7** 4 comme une compensation
pour la perte subie par l'économie nationale du fait du massacre prévu.
Le roi, considérant que l'affaire est cependant dans l'intérêt de l'État,
n'accepte pas le marché, il livre purement et simplement les Juifs à Aman.
c) Cf. Gn **41** 42.
d) Cf. Dn **3** 4, 7.

13. ^1   ^13a *Voici le texte de cette lettre^a :*

« Le Grand Roi Assuérus aux gouverneurs des cent vingt-sept provinces qui vont de l'Inde à l'Éthiopie et aux chefs de district, leurs subordonnés :

^2   ^13b *« Placé à la tête de peuples sans nombre et maître de toute la terre^b, je me suis proposé de ne point me laisser enivrer par l'orgueil du pouvoir et de toujours gouverner dans un grand esprit de modération et avec bienveillance afin d'octroyer à mes sujets la perpétuelle jouissance d'une existence sans orages, et, mon royaume offrant les bienfaits de la civilisation et la libre circulation d'une de ses frontières à l'autre, d'y instaurer cet objet de* ^3 *l'universel désir qu'est la paix^c. ^13c Or, mon conseil entendu sur les moyens de parvenir à cette fin, l'un de mes conseillers, de qui la sagesse parmi nous éminente, l'indéfectible dévouement, l'inébranlable fidélité ont fait leurs preuves, et dont les préroga-* ^4 *tives viennent immédiatement après les nôtres, Aman, ^13d nous a dénoncé, mêlé à toutes les tribus du monde, un peuple mal intentionné, en opposition par ses lois avec toutes les nations, et faisant constamment fi des ordonnances royales, au point d'être un obstacle au gouvernement que nous assurons à la satisfaction générale.*

^5   ^13e *« Considérant donc que ledit peuple, unique en son genre, se trouve sur tous les points en conflit avec l'humanité entière, qu'il en diffère par un régime de lois exotique, qu'il est hostile*

---

3 13^a-13^g = *Vulg* **13** 1-7. *Saint Jérôme introduit ce passage par la mention suivante :* « Ce qui suit était mis à l'endroit du volume où il est écrit : et ils enlevèrent leurs biens et leurs richesses (cf. v. 13). Et nous l'avons trouvé dans la seule édition Vulgate (i.e. le grec courant) ». *Après* 13^g, *il note :* « Ici se termine la copie de la lettre. » *Le texte hébreu reprend en* **3** 14.

---

a) Une lettre semblable est attribuée à Ptolémée IV en 3 M **3** 12-30. Les points de contact entre les deux documents sont assez sensibles.

b) Cf. Jdt **2** 5 ; Dn **3** 98.

c) D'après le texte hébreu c'est Aman qui rédige la lettre royale. Si le v. 13^b est d'un flatteur, et bien dans le style de la cour, le v. 13e souligne ironiquement la vanité d'Aman. Cf. 3 M **3** 15, 18, 20.

*à nos intérêts, qu'il commet les pires méfaits jusqu'à menacer
la stabilité de notre royaume* [a].

6   13[f] « *Par ces motifs, nous ordonnons que toutes les personnes
à vous signalées dans les lettres d'Aman, commis au soin de nos
intérêts et pour nous un second père* [b], *soient radicalement exter-
minées, femmes et enfants inclus, par l'épée de leurs ennemis,
sans pitié ni ménagement aucun, le quatorzième jour du douzième*

7   *mois, soit Adar, de la présente année,* 13[g] *afin que, ces opposants
d'aujourd'hui comme d'hier étant précipités de force dans l'Hadès
en un jour, stabilité et tranquillité plénières soient désormais
assurées à l'État* [c]. »

¹⁴ Le texte de cet édit, destiné à être promulgué comme
loi dans chaque province, fut publié parmi toutes les
populations afin que chacun se tînt prêt au jour dit. ¹⁵ Sur
l'ordre du roi, les courriers partirent dans les plus brefs
délais. L'édit fut promulgué d'abord à la citadelle de Suse.

Et tandis que le roi et Aman se prodiguaient en festins
et beuveries, dans la ville de Suse régnait la consternation [d].

**Mardochée et Esther
vont conjurer
le péril.**

4.   ¹ Sitôt instruit de ce
qui venait d'arriver, Mardochée déchira ses vêtements
et prit le sac et la cendre [e].
Puis il parcourut toute la

---

a) Le grief fait aux Juifs d'être des ennemis de l'État se retrouve en
3 M **3** 22-24; **7** 4.

b) Ce titre de « père » donné à un vizir apparaît aussi dans l'histoire de
Joseph (Gn **45** 8). Cf. plus loin, **8** 12¹.

c) Cf. 3 M **3** 25-26.

d) Cf. 3 M **4** 1-2, 16. — Ici VetLat introduit, sous forme d'une prière
des Juifs, une longue glose où s'expriment les sentiments d'humble
pénitence pour les péchés du peuple et des appels angoissés à la fidélité
de Dieu.

e) De semblables gestes de détresse sont fréquemment mentionnés dans
la Bible : cf. Is **37** 1; Jdt **4** 10; 1 M **3** 47. On sait par Hérodote (VIII, 99)
que les Perses connaissaient aussi l'usage de se déchirer les vêtements en
signe de deuil ou d'affliction. Le v. 3 montre ces lamentations pratiquées

ville en l'emplissant de ses cris de douleur, ² pour ne
s'arrêter qu'en face de la Porte Royale que nul ne pouvait
franchir revêtu d'un sac. ³ Dans les provinces, à peine
promulgué l'édit royal, ce ne fut plus, parmi les Juifs, que
deuil, jeûne, larmes et lamentations. Le sac et la cendre
devinrent la couche de beaucoup.

⁴ Les servantes et eunuques d'Esther vinrent l'avertir.
La reine fut saisie d'angoisse. Elle fit envoyer des vêtements à Mardochée pour qu'il les mît et abandonnât son
sac*a*. Mais il les refusa. ⁵ Mandant alors Hataq, l'un des
eunuques mis par le roi à son service, Esther le dépêcha
à Mardochée avec mission de s'enquérir de ce qui se pas-
sait et de lui demander les motifs de sa conduite.

⁶ Hataq sortit et s'en vint vers Mardochée qui se tenait
toujours sur la place, devant la Porte Royale. ⁷ Mardochée
le mit au courant des événements et, notamment, de la
somme qu'Aman avait offert de verser au Trésor en compensation de ce qu'il allait perdre avec les Juifs. ⁸ Il lui
remit aussi une copie de l'édit d'extermination publié à
Suse : il suffirait qu'il la montrât à Esther pour qu'elle
soit renseignée. Il enjoignait à la reine d'aller chez le roi
implorer sa clémence et plaider la cause du peuple auquel

par tous les Juifs de l'empire, et y joint l'observance du jeûne (cf. **9** 31),
pratique assez rare en Israël. La Loi ne prévoyait que le jeûne de la fête
de l'Expiation (le Kippur). Cependant les livres prophétiques et historiques
mentionnent des jeûnes publics en diverses occasions : expiation de fautes
générales (Jr **14** 12; Jl **1** 14; **2** 15; 1 S **7** 6, etc.), mort d'un roi (1 S **31** 13),
préparation d'une guerre (Jg **20** 26; 2 Ch **20** 3; 2 M **13** 12). Des jeûnes
particuliers sont souvent mentionnés dans les Psaumes (**69** 11; **109** 24)
ou à propos d'autres personnages bibliques (2 S **1** 12; 1 R **21** 27-29, etc.).
Après l'Exil les jeûnes institutionnels semblent s'être multipliés (cf. Za **7** 5;
8 19). Voir aussi 3 M **4** 2-8; **5** 25.

a) Esther ne réprouve pas l'attitude de Mardochée, mais elle invite
son tuteur à venir s'entretenir avec elle d'une affaire si importante.
C'est ce que met en valeur le texte de Lucien : « Otez-lui le sac et
introduisez-le. »

¹⁻³ elle appartenait. ⁸ᵃ « *Souviens-toi, lui fit-il dire, des jours de ta bassesse où je te nourrissais de ma main. Car Aman, le second personnage du royaume, a demandé au roi notre mort.* ⁸ᵇ *Prie le Seigneur, parle pour nous au roi, arrache-nous à la mort*ᵃ ! »

⁹ Hataq revint et rapporta ce message à Esther. ¹⁰ Celle-ci répondit, avec ordre de répéter ses paroles à Mardochée : ¹¹ « Serviteurs du roi et habitants des provinces, tous savent que, homme ou femme, quiconque pénètre sans convocation chez le roi jusque dans le vestibule intérieur tombe sous le coup d'une loi inexorable qui le punit de mort, à moins qu'en lui tendant son sceptre d'or le roi ne lui fasse grâce de la vie. Et il y a trente jours que je n'ai pas été invitée à approcher le roiᵇ ! »

¹² Ces paroles d'Esther furent transmises à Mardochée, ¹³ qui répondit à son tour : « Ne va pas t'imaginer que, parce que tu es dans le palais, seule d'entre les Juifs tu

---

4 8ᵃ-8ᵇ. *Ces vv. donnent le texte du v. 8 tel qu'il se lit en grec, avec ce que cette version ajoute au v. 8 de H. Vulg a d'ailleurs conservé le texte grec, à peu de choses près, en* **15** 2-3. *Saint Jérôme l'introduit ainsi :* « J'ai aussi trouvé ces additions dans l'édition commune : ' Et il lui ordonna (aucun doute qu'il ne s'agisse de Mardochée) d'entrer chez le roi et d'intercéder pour son peuple et sa patrie : Souviens-toi, lui dit-il, des jours... etc. ' ».

9. *VetLat peint en ces termes la douleur d'Esther :* « Comme Esther lisait le message de son frère, elle déchira son vêtement et s'exclama d'une voix douloureuse. Elle versa de grands pleurs et son corps devint effrayant, sa chair s'affaissa. »

a) Le v. 8ᵇ, ainsi que quelques autres du texte de la Vulg, a fourni une heureuse formule pour l'office de l'Apparition de la B. V. M. (répons de la 7ᵉ leçon de Matines).

b) Le texte hébreu ne contient pas une seule invitation à recourir à Dieu dans une conjoncture si difficile, recours qui serait si conforme à la mentalité juive ! l'omission est sûrement intentionnelle. Les Versions se sont d'ailleurs efforcées, ici et en des passages analogues, d'exprimer les sentiments supposés par l'attitude des personnages. La VetLat ajoute ici au grec : « Lève-toi, pourquoi restes-tu assise en silence ? Car tu es livrée, toi et ta maison et celle de ton père et tout son peuple et toute ta postérité. Lève-toi ! Voyons s'il est possible de lutter et de souffrir pour notre peuple, pour que Dieu lui devienne propice. »

pourras être sauvée. ¹⁴ Ce sera tout le contraire. Si tu
t'obstines à te taire quand les choses en sont là, salut et
délivrance viendront aux Juifs d'un autre lieu*a*, et toi et
la maison de ton père vous périrez. Qui sait ? Peut-être
est-ce en prévision d'une circonstance comme celle-ci que
tu as accédé à la royauté*b* ? »

¹⁵ Esther lui fit dire : ¹⁶ « Va rassembler tous les Juifs
de Suse. Jeûnez à mon intention. Ne mangez ni ne buvez
de trois jours et de trois nuits. De mon côté, avec mes servantes, j'observerai le même jeûne*c*. Ainsi préparée, j'entre-
rai chez le roi malgré la loi et, s'il faut périr, je périrai*d*. »
¹⁷ Mardochée se retira et exécuta les instructions d'Esther.

13. ⁸

Prière
de Mardochée*e*.

¹⁷ᵃ *Priant alors le Seigneur
au souvenir de toutes ses grandes œuvres il s'exprima en ces
termes :*

17ᵃ-17¹ = *Vulg* **13** 8-18. *Saint Jérôme introduit ainsi ce passage :* « *Ce qui
suit, je l'ai trouvé écrit après l'endroit ou on lit :* ' *Et, s'en allant, Mardochée fit
tout ce que lui avait commandé Esther* '. *Cependant cela ne se trouve ni dans l'hébreu
ni dans absolument aucune autre traduction.* »

a) L'auteur évite d'écrire le mot Dieu. A une époque plus récente ce
mot de « Lieu » (*Mâqôm*) sera employé par les rabbins comme équivalent
du mot « Dieu ».

b) Sous une forme interrogative Mardochée formule la foi indéfectible
d'Israël en une Providence qui mène hommes et événements. C'est toute
l'histoire contée dans le livre qui répond à cette question. Même idée en
Gn **45** 7.

c) Le jeûne, qui apparaît dans l'A. T. surtout comme une affliction
expiatrice (cf. note *e*, p. 107) y est aussi présenté comme le moyen d'obtenir
l'éloignement de certains fléaux (cf. Jl **1** 13-**2** 17 ; Jdt **4** 13 ; 2 Ch **20** 3), ou
de s'attirer les lumières divines (Jg **20** 26 s).

d) Dans le récit où Hérodote nous conte la découverte de la fraude du
faux Smerdis, usurpateur du trône de Perse après Cambyse, et le massacre
des mages qui s'ensuivit, Otanès demande une semblable démarche à sa
fille Phédyme, concubine de Smerdis. Au péril de sa vie elle accepte de
renseigner son père sur l'identité de l'usurpateur et assure ainsi le rétablissement de la dynastie perse (Hérod., III, 68-78).

e) Cette belle prière, comme celle d'Esther qui lui fait suite, est destinée
à introduire le lecteur dans les sentiments mêmes des personnages princi-

9 **17ᵇ** *Seigneur, Seigneur, Roi, Maître de l'univers[a],*
tout est soumis à ton pouvoir
et il n'y a personne qui puisse te tenir tête
dans ta volonté de sauver Israël.

10 **17ᶜ** *Oui, c'est toi qui as fait le ciel et la terre*
et toutes les merveilles qui sont sous le firmament.
11 *Tu es le Maître de l'univers*
et il n'y a personne qui puisse te résister, Seigneur.

12 **17ᵈ** *Toi, tu connais tout[b] !*
Tu le sais, toi, Seigneur,
ni suffisance, ni orgueil, ni gloriole
ne m'ont fait faire ce que j'ai fait :
refuser de me prosterner
devant l'orgueilleux Aman.
13 *Volontiers je lui baiserais la plante des pieds*
pour le salut d'Israël.

14 **17ᵉ** *Mais ce que j'ai fait, c'était*
pour ne pas mettre la gloire d'un homme
plus haut que la gloire de Dieu ;

---

paux. Elle est toute pétrie de la piété de l'A. T., avec, toutefois, une analyse des sentiments de l'orant, préoccupé de sa propre justification, que l'on ne retrouve pas dans les textes plus anciens. Même procédé en Est **4** 17ᵘ⁻ᵛ et Tb **3** 16-18 dans la Vulg. Les « protestations d'innocence » de certains psalmistes (v.g. Ps **18** 21-24; **26** 4 s; etc.) ne visent jamais le domaine des intentions. Cette prière est proche de celle de Si **36** 1-19. — Le v. 17ᵇ a fourni le texte de plusieurs prières de la liturgie latine.

a) Les deux premières strophes sont une louange de Dieu, créateur, souverain maître de toute chose et tout-puissant dans l'accomplissement de ses volontés (v. 17ᵇ⁻ᶜ). Cf. Ex **19** 5; 2 Ch **20** 6; Jdt **16** 14.

b) Les 3ᵉ et 4ᵉ strophes (v. 17ᵈ⁻ᵉ) justifient la conduite de Mardochée vis-à-vis d'Aman. Mardochée se défend d'avoir agi par pur amour-propre. S'il ne s'est pas prosterné devant le vizir c'est pour ne pas lui rendre un honneur qui n'est dû qu'à Dieu. En fait, dans l'ancien Orient, les prostrations d'étiquette à la cour n'impliquaient pas d'idée de culte (cf. p. 102, note *d*).

> *et je ne me prosternerai devant personne*
> *si ce n'est devant toi, Seigneur,*
> *et ce que je ferai là ne sera pas orgueil.*

15 17^f *Et maintenant, Seigneur Dieu^a,*
> *Roi, Dieu d'Abraham,*
> *épargne ton peuple !*
> *car on machine notre ruine,*
> *on projette de détruire ton antique héritage.*

16 17^g *Ne délaisse pas cette part qui est ta part,*
> *que tu t'es rachetée de la terre d'Égypte !*

17 17^h *Exauce ma prière,*
> *sois propice au peuple tien*
> *et tourne notre deuil en joie^b ;*
> *afin que nous vivions pour chanter ton nom, Seigneur.*
> *Et ne laisse pas disparaître*
> *la bouche de ceux qui te louent.*

18   17^i *Et tout Israël criait de toutes ses forces, car la mort était devant ses yeux.*

14. 1

Prière d'Esther.

17^k *La reine Esther cherchait aussi refuge près du Seigneur dans le péril de mort qui*

---

a) La dernière strophe (v. 17^{f-h}) constitue la prière proprement dite, en faveur du peuple. D'où l'invocation à Yahvé Élohim « Dieu d'Abraham » (cf. Ex **3** 6; Ps **47** 10 et 3 M **6** 3), l'insistance sur Israël peuple de Dieu, sa part d'héritage (cf. Dt **32** 9; 1 R **8** 51), acquise par le rachat de la servitude d'Égypte (Dt **9** 26). Les mots héritage, part, portion sont ici répétés à dessein : l'appartenance de la nation à Yahvé est aussi stable que devait l'être selon le droit israélite (cf. Nb **27** 3-11) l'héritage d'un homme (cf. Jr **10** 16; Ps **33** 12; Jl **4** 2, etc.). Comparer 3 M **6** 2-4 et **2** 2-6.

b) Là prière demande donc le retournement de la situation du peuple : joie et chants succéderont, si Dieu le veut, au deuil et aux larmes. Conformément aux idées de l'A. T. l'auteur pense que seuls ceux qui vivent sur terre peuvent chanter les louanges de Dieu (cf. Ps **6** 6; **115** 17; Is **38** 18 s).

² *avait fondu sur elle. Elle avait quitté ses vêtements somptueux*
pour prendre des habits de détresse et de deuil. Au lieu de fas-
*tueux parfums elle avait couvert sa tête de cendres et d'ordures*ᵃ.
³ *Elle humiliait durement son corps et les tresses de sa chevelure*
*défaite*ᵇ *remplissaient tous les lieux témoins ordinaires de ses*
joyeuses parures. Et elle suppliait le Seigneur Dieu d'Israël en
ces termes :

17ˡ *O mon Seigneur, notre Roi, tu es l'Unique !*
    Viens à mon secours, car je suis seule
    et n'ai d'autre recours que toi,
⁴   *et je vais jouer ma vie*ᶜ.

⁵ 17ᵐ *J'ai appris, dès le berceau, au sein de ma famille*ᵈ,
     que c'est toi, Seigneur, qui as choisi
     Israël entre tous les peuples

17ᵐ. *Luc. lit ici : « J'ai entendu (lire) dans le livre de mes pères... ».*

---

a) Le mot employé ici : « fumier », désigne sans doute comme en Jb **2** 8 les ordures ménagères que l'on jette à la voirie.

b) Pour les Juifs, se raser ou s'arracher la chevelure était un signe de deuil ou de pénitence (Am **8** 10; Is **3** 17-24; **15** 2; **22** 12; Jr **7** 29; **48** 37; Ez **27** 30 s; Mi **1** 16 et Esd **9** 3) pour les femmes comme pour les hommes. Ici le texte ne dit pas que les tresses soient « arrachées ». On pourrait aussi bien penser à des tresses « dénouées » qui, comme un flot, semblent remplir les appartements de la reine. D'après Lv **10** 6 laisser flotter ses cheveux semble être aussi un signe de deuil.

c) L'expression : « mon âme, ma vie, est dans ma main » se retrouve ailleurs dans l'A. T. avec le sens de « j'assume le risque de ma vie » (cf. Jg **12** 3; Ps **119** 109; 1 S **28** 21). Cf. **4** 11, 16. — Cette première strophe (v. 17ˡ), comme en beaucoup de psaumes de supplication, présente une invocation et l'exposé du cas.

d) La seconde strophe (v. 17ᵐ) résume la tradition israélite contenant toute la geste de Yahvé en faveur de son peuple : choix du peuple élu (cf. Jos **24** 2-3; Ez **20** 5) en la personne des Patriarches, accomplissement en sa faveur des promesses faites aux Pères (cf. Jos **24** 16-18; Dt **4** 37-38). Cette tradition se transmettait par la famille (cf. Dt **6** 20-25). Cf. 3 M **2** 4-8; **6** 4-8, 15.

et nos pères parmi tous leurs ancêtres,
pour être ton héritage à jamais ;
et tu les as traités comme tu l'avais dit.

6 17[n] *Et puis nous avons péché contre toi*[a],
et tu nous as livrés aux mains de nos ennemis
7 *pour les honneurs rendus à leurs dieux.*
Tu es juste, Seigneur !

8 17[o] *Mais ils ne se sont pas contentés*[b]
de l'amertume de notre servitude ;
ils ont mis leurs mains dans celles de leurs idoles[c]
9 *en vue d'abolir l'arrêt sorti de tes lèvres,*
de faire disparaître ton héritage,
de clore les bouches qui te louent,
d'éteindre ton autel et la gloire de ta maison ;
10 17[p] *et d'ouvrir à la place la bouche des nations*
pour la louange des idoles de néant,
et pour s'extasier à jamais devant un roi de chair.

11 17[q] *N'abandonne pas ton sceptre, Seigneur*[d],
à ceux qui ne sont pas.

---

a) La troisième strophe (v. 17[n]) reprend aussi un thème très exploité par la Bible : au péché du peuple correspond l'abandon de Yahvé (cf. Jg **2** 11-15 ; 2 R **21** 11-15 ; comparer 3 M **2** 10). En tout cela éclate la justice de Dieu (cf. Esd **9** 15 ; Tb **3** 2 ; 3 M **2** 11).

b) La quatrième strophe (v. 17[o-p]) souligne l'orgueilleuse impiété des nations qui, au lieu de se considérer comme les instruments de la justice de Yahvé, se sont faites les servantes des faux dieux (cf. Ez **25** 6, 7, 12 ; **28** 17).

c) Placer sa main sur la main des statues divines semble être ici un geste de serment, peut-être d'alliance, un peu comme notre poignée de mains. En s'engageant vis-à-vis de la divinité on requérait par le fait son assistance.

d) Les deux strophes suivantes (v. 17[q-r]) constituent la prière proprement dite : — prière pour le peuple, Dieu se doit de ne pas laisser les païens se gausser des malheurs de son peuple (cf. Ps **70** 2-4 ; **71** 10-13 ; **35** 7, 8) ; — prières pour Esther elle-même, reprise en 17[z]. — De sem-

> Point de sarcasmes sur notre ruine !
> Retourne ces projets contre leurs auteurs,
> et du premier de nos assaillants, fais un exemple !

12 17ʳ Souviens-toi, Seigneur, manifeste-toi
   au jour de notre tribulation !

> Et moi, donne-moi du courage,
> Roi des dieux[a] et dominateur de toute autorité.

13 17ˢ Mets sur mes lèvres un langage charmeur
   lorsque je serai en face du lion[b],
   et tourne son cœur à la haine de notre ennemi,
   pour qu'il y trouve sa perte avec tous ses pareils.

14 17ᵗ Et nous, sauve-nous par ta main
   et viens à mon secours, car je suis seule
   et n'ai rien à part toi, Seigneur !
   17ᵘ De toute chose tu as connaissance[c]

---

blables désirs de vengeance sont fréquemment exprimés dans l'A. T. (cf. Ps **54** 9; **109** 6-20; **137** 7-9; Ne **6** 14; **13** 29, etc.). Les adversaires du peuple élu, ou des justes, étaient un objet de scandale puisqu'ils semblaient tenir en échec le plan de l'Alliance et les promesses de Dieu à son peuple. Les Juifs ne concevaient le rétablissement de l'ordre troublé que par l'anéantissement des mauvais. Le christianisme nous fera dépasser, dans la lumière de l'universelle charité rédemptrice, cette conception un peu myope des desseins divins.

a) Ce titre, qui évoque les anciennes expressions bibliques où Yahvé est dit « Dieu des dieux » (Dt **10** 17; Ps **136** 2; cf. aussi Ps **95** 3), se retrouve en Dn **2** 47 et **11** 36. L'autre titre « dominateur de toute autorité » rappelle « Seigneur des seigneurs » de Dt **10** 17 et « Seigneur des rois » de Dn **2** 47, mais en utilisant un nouveau mot : ἀρχή, qui n'apparaît qu'en Dn **7** 12, 14, 26 (Théodotion) et avec un sens plus abstrait qu'en Esther. On est peut-être à l'origine des spéculations sur les puissances spirituelles influant sur les hommes dont on retrouve trace chez saint Paul (les ἀρχαί de Rm **8** 38; Ep **3** 10; **6** 12; Col **1** 16 et Tt **3** 1 : au sing.).

b) Image plusieurs fois évoquée dans la Bible : Pr **28** 15; Jr **5** 6; **49** 19 (Édom) = **50** 44 (Babel); Ps **57** 5, etc. Ici le lion est Assuérus. Cf. 1 P **5** 8 (Satan). Ce v. a été utilisé au graduel de la Messe de sainte Clotilde par allusion à la conversion de Clovis.

c) La septième strophe (v. 17ⁿ⁻ʸ) justifie la conduite personnelle d'Esther et affirme la rectitude de ses intentions (cf. 17ᵈ⁻ᵉ).

15   *et tu sais que je hais la gloire des impies,*
        que j'abhorre la couche des incirconcis
        et celle de tout étranger.

16 17^w *Tu sais la nécessité qui me tient,*
        que j'ai horreur de l'insigne de ma grandeur
        qui ceint mon front dans mes jours de représentation,
        la même horreur que d'un linge souillé[a]*,*
        et ne le porte pas dans mes jours de tranquillité.

17 17^x *Ta servante n'a pas mangé à la table d'Aman,*
        ni prisé les festins royaux,
        ni bu le vin des libations.

18 17^y *Ta servante ne s'est pas réjouie*
        depuis le jour de son changement jusqu'à présent,
        si ce n'est en toi, Seigneur, Dieu d'Abraham.

19 17^z *O Dieu, dont la force l'emporte sur tous,*
        écoute la voix des désespérés,
        tire-nous de la main des méchants
        et libère-moi de ma peur !

15. ^{4}

Esther se présente
au palais.

5. ^{1a} *Le troisième jour,*
lorsqu'elle eut cessé de prier,
elle quitta ses vêtements de sup-
pliante et s'entoura de toute

---

5 1-2. *Le texte hébreu des vv. 1-2 est beaucoup plus court :* « *Trois jours après,*
Esther mit son costume de reine et se présenta dans le vestibule intérieur du palais
situé devant l'appartement du roi. Il était assis sur son trône royal, dans la salle
royale, face à la porte. ^{2} *Il n'eut pas plus tôt aperçu la reine Esther debout dans*
le vestibule que sa bienveillance lui fut acquise et qu'il étendit vers elle le sceptre d'or
qu'il tenait à la main. S'approchant, Esther en toucha l'extrémité. » *Le texte*
suivi ici est celui des LXX (cf. Vulg **15** 4-19). *Saint Jérôme le fait précéder de*
la mention : « *Ce qui suit (je l'ai) aussi (trouvé) ajouté dans l'édition commune.* »
— *Le grec et l'hébreu se retrouvent d'accord au v.* 3.

---

a) Les termes grecs ici employés évoquent l'horreur religieuse éprouvée
par tout Juif observant devant un objet frappé d'impureté légale (cf. Is **30**
22; **64** 5). Il s'agit ici de l'impureté visée en Lv **15**.

⁵ sa splendeur. *Ainsi devenue éclatante de beauté, elle invoqua le Dieu qui veille sur tous et les sauve. Puis elle prit avec elle*
⁶ *deux servantes. Sur l'une elle s'appuyait mollement. L'autre l'accompagnait et soulevait son vêtement. Sur l'une elle s'appuyait comme voluptueusement, en réalité parce que, trop faible, son*
⁷ *corps ne se soutenait plus ; l'autre servante suivait sa maîtresse,*
⁸ *soutenant ses vêtements qui traînaient à terre.* ¹ᵇ *A l'apogée de sa beauté, elle rougissait et son visage joyeux était comme épanoui*
⁹ *d'amour. Mais la crainte faisait gémir son cœur.* ¹ᶜ Franchissant toutes les portes, elle se trouva devant le roi. Il était assis sur son trône royal, *revêtu de tous les ornements de ses*
¹⁰ *solennelles apparitions, tout rutilant d'or et de pierreries, redoutable au possible.* ¹ᵈ *Il leva son visage empourpré de splendeur et, au comble de la colère, regarda. La reine s'effondra. Dans son évanouissement son teint blêmit et elle appuya la tête sur la*
¹¹ *servante qui l'accompagnait.* ¹ᵉ *Dieu changea le cœur du roi et l'inclina à la douceur*ᵃ. *Anxieux, il s'élança de son trône et la prit dans ses bras jusqu'à ce qu'elle se remît, la réconfortant par des paroles apaisantes.* ¹ᶠ *« Qu'y a-t-il, Esther ? Je suis*
¹² *ton frère ! Rassure-toi ! Tu ne mourras pas. Notre ordonnance*
¹³ *ne vaut que pour le commun des gens*ᵇ. *Approche-toi. »* ² Levant
¹⁵ son sceptre d'or il le posa sur le cou d'Esther, *l'embrassa et lui dit : « Parle-moi ! »* — ²ᵃ *« Seigneur, lui dit-elle, je t'ai*
¹⁶ *vu pareil à un ange de Dieu. Mon cœur s'est alors troublé et j'ai*
¹⁷ *eu peur de ta splendeur. Car tu es admirable, Seigneur, et ton*
¹⁹ *visage est plein de charmes. »* ²ᵇ *Tandis qu'elle parlait, elle défaillit. Le roi se troubla et tout son entourage cherchait à la ranimer.* ³ *« Qu'y a-t-il, reine Esther ? lui dit le roi. Dis-moi ce que tu désires, et, serait-ce la moitié du royaume,*

---

a) Cf. l'image de Pr **21** 1. La liturgie utilise ce texte dans la messe de sainte Clotilde.
b) Texte utilisé par la liturgie de la fête de l'Apparition de la B. V. M.

c'est accordé d'avance ![a] » — [4] « Le roi serait-il assez bon, répondit Esther, pour accepter de venir aujourd'hui avec Aman au banquet que je lui ai préparé ? » — [5] « Qu'on prévienne aussitôt Aman pour combler le souhait d'Esther », dit alors le roi.

Le roi et Aman vinrent ainsi au banquet préparé par Esther [6] et, pendant le banquet, le roi redit à Esther : « Dis-moi ce que tu demandes, c'est accordé d'avance ! Dis-moi ce que tu désires, serait-ce la moitié du royaume, c'est chose faite ! » — [7] « Ce que je demande, ce que je désire ? répondit Esther. [8] Si vraiment j'ai trouvé grâce aux yeux du roi, s'il lui plaît d'exaucer ma demande et de combler mon désir, que demain encore le roi vienne avec Aman au banquet que je leur donnerai et j'y exécuterai l'ordre du roi[b]. »

[9] Ce jour-là Aman sortit joyeux et le cœur en fête, mais quand, à la Porte Royale, il vit Mardochée ne point se lever devant lui ni bouger de sa place, il fut pris de colère contre lui. [10] Néanmoins il se contint. Revenu chez lui, il convoqua ses amis et sa femme Zéresh [11] et, longuement, devant eux, parla de son éblouissante richesse, du nombre de ses enfants, de tout ce dont le roi l'avait comblé pour l'élever et l'exalter au-dessus de tous ses grands officiers et serviteurs[c]. [12] « Ce n'est pas tout, ajouta-t-il, la reine

---

a) Cette expression, répétée plusieurs fois (**5** 6 ; **7** 2 ; **9** 12), souligne le crédit illimité dont jouit dès lors Esther aux yeux du roi très puissant. Si des commentateurs se sont complu à voir en cela une allusion au crédit dont Marie jouit auprès de Dieu et dont elle use en faveur de l'Église, il est aisé de voir combien une telle comparaison est délicate. Cf. Mc **6** 22 s.

b) Cet ajournement d'explication risque de paraître peu vraisemblable. Un potentat aussi impérieux qu'Assuérus va-t-il se prêter à ce jeu étrange ? L'amour très vif qu'il est censé porter à Esther, et que souligne adroitement le texte grec (**5** 1[c]-2), rend acceptable la réponse dilatoire de la reine. L'auteur a surtout voulu piquer la curiosité du lecteur par un procédé de retardement très dramatique, qui joue de nouveau au v. 8.

c) Devant le fier entêtement de Mardochée, Aman ressent le besoin de

Esther vient de m'inviter avec le roi, et moi seul, à un banquet qu'elle lui offrait, et bien plus, je suis encore invité par elle avec le roi demain. ¹³ Mais que me fait tout cela aussi longtemps que je verrai Mardochée, le Juif, siéger à la Porte Royale ! » — ¹⁴ « Fais seulement dresser une potence de cinquante coudées*a*, lui répondirent sa femme et ses amis; demain matin tu demanderas au roi qu'on y pende Mardochée ! Tu pourras alors, tout joyeux, aller rejoindre le roi au banquet ! » Ravi du conseil, Aman fit préparer la potence.

IV

REVANCHE DES JUIFS

Déconvenue d'Aman.

6. ¹ Or, cette nuit-là, comme le sommeil le fuyait, le roi réclama le livre des Mémoires ou Chroniques pour s'en faire donner lecture. ² Il s'y trouvait la dénonciation par Mardochée de Bigtân et Téresh, les deux eunuques gardes du seuil, coupables d'avoir projeté d'attenter à la vie d'Assuérus*b*. ³ « Et quelle distinction, quelle dignité, s'enquit le roi, furent pour cela conférées à ce Mardochée ? » — « Rien n'a été

---

se redire à lui-même les fondements de sa grandeur et d'en prendre à témoin sa femme et ses amis. L'auteur, en dépeignant la vanité inquiète d'Aman (cf. vv. 12 s), nous fait mieux mesurer l'étendue de sa chute.

a) Environ 25 m. Le chiffre, évidemment exagéré, ajoute un trait au caractère déraisonnablement haineux du vizir et de son entourage.

b) Cf. 2 21-23. L'intérêt, qui se concentrait toujours plus sur l'antagonisme exaspéré d'Aman et de Mardochée, semble maintenant détourné sur la personne du roi. Ce n'est qu'une feinte. Nous allons assister au commencement de la disgrâce d'Aman (cf. 6 13).

fait pour lui »[a], répondirent les courtisans de service.
[4] Le roi leur demanda alors : « Qui est de service dans le
vestibule ? » C'était juste le moment où Aman arrivait
dans le vestibule extérieur du palais royal pour demander
au roi de faire pendre Mardochée à la potence dressée
pour lui par ses soins[b], [5] si bien que les courtisans répondirent : « C'est Aman qui se tient dans le vestibule. » —
« Qu'il entre ! » ordonna le roi, [6] et, sitôt entré : « Comment faut-il traiter un homme que le roi veut honorer ? »
— « Quel autre que moi le roi voudrait-il honorer ? » se
dit Aman. [7] « Le roi veut honorer quelqu'un ? répondit-il
donc, [8] qu'on prenne des vêtements princiers, de ceux
que porte le roi; qu'on amène un cheval, de ceux que
monte le roi, un diadème royal sur la tête. [9] Puis vêtements
et cheval seront confiés à l'un des plus nobles des hauts
fonctionnaires royaux. Celui-ci revêtira alors de ce costume l'homme que le roi veut honorer et le conduira à
cheval sur la grand'place en criant devant lui : Voyez comment l'on traite l'homme que le roi veut honorer[c] ! » —
[10] « Ne perds pas un instant, répondit le roi à Aman,
prends costume et monture, et, tout ce que tu viens de

---

a) La réponse suppose que l'auteur du texte hébreu ignorait ce que dit
le texte grec en **1** 1[q]. — Dans ce ch. et le suivant le texte de Lucien paraphrase à plaisir les passages qui vont à la gloire de Mardochée ou à la
confusion d'Aman. Ici il fait dire au roi : « Quel homme, ce Mardochée,
fidèle jusqu'à la sauvegarde de ma vie ! Je siège aujourd'hui sur mon trône
et je n'ai rien fait pour lui ! Je n'ai pas bien agi ! » Et le roi dit à ses serviteurs : « Que ferons-nous pour Mardochée, le sauveur de la situation ? »
Les jeunes gens, à cette pensée, furent jaloux de lui : « ils éprouvaient au
fond de leurs entrailles la terreur d'Aman ».

b) On suppose que la lecture a duré toute la nuit, jusqu'au moment où
Aman vient présenter sa requête. La question du roi ne visait à rien autre
qu'à confier une mission à celui de ses chambellans qui se trouverait de
service dans l'antichambre de ses appartements privés.

c) Ailleurs dans la Bible il est aussi fait mention d'honneurs semblables
déférés à des personnages que le roi voulait distinguer : Gn **41** 42 s;
1 R **1** 33; Dn **5** 29.

dire, fais-le à Mardochée, le Juif[a], l'attaché de la Royale Porte. Surtout, n'omets rien de ce que tu as dit ! »

[11] Prenant donc vêtement et cheval, Aman habilla Mardochée, puis le promena à cheval sur la grand'place en criant devant lui : « Voyez comment l'on traite l'homme que le roi veut honorer[b] ! » [12] Après quoi Mardochée s'en revint à la Porte Royale tandis qu'Aman, de son côté, rentrait précipitamment chez lui, consterné et le visage voilé. [13] Il raconta à sa femme Zéresh et à tous ses amis ce qui venait d'arriver. Sa femme Zéresh et ses amis lui dirent : « Tu viens de commencer à déchoir devant Mardochée : s'il est de la race des Juifs, tu ne pourras plus reprendre le dessus. Au contraire tu tomberas sans cesse plus bas devant lui[c]. »

**Aman
au banquet d'Esther.**

[14] La conversation n'était pas achevée qu'arrivèrent les eunuques du roi, venus chercher Aman pour le conduire

---

6 13. « *amis* » (2°) *G Syr* ; « *conseillers* » *H*. — *G* : « *tu tomberas... car le Dieu vivant est avec lui* »; *Luc.* : « *Cesse, car Dieu est pour eux.* »

a) L'ordre royal insiste sur la qualité de Juif de Mardochée. La recommandation de ne rien omettre de ce qu'Aman avait lui-même suggéré souligne ironiquement la déconvenue du vizir vaniteux.

b) Lucien paraphrase ainsi : « Quand Aman eut compris que ce n'était pas lui mais Mardochée qu'il s'agissait de glorifier, son cœur se brisa violemment, le souffle lui manqua, car il défaillait. Mais Aman prit le vêtement et le cheval pour rendre hommage à Mardochée au jour même où il avait décidé de le pendre. Il dit à Mardochée : ' Ote le sac ! ' Mortellement troublé, Mardochée ne quitta le sac qu'avec répugnance et revêtit les somptueux habits. Il lui sembla qu'il assistait à un prodige : le cœur tourné vers le Seigneur, il était muet de stupeur. Aman se hâta de le mettre à cheval. Puis il conduisit le cheval dehors et, dehors, il le tenait en criant : ' Voilà comment sera traité l'homme que vénère le roi et que le roi veut honorer ! ' »

c) La réflexion prêtée à Zéresh laisse entendre que les Juifs avaient la réputation de défendre solidairement et avec esprit de suite leurs intérêts. L'auteur laisse deviner quel sera le dénouement. Nulle mention du secours divin. Le texte grec a paré à cette lacune en ajoutant : « Car le Dieu vivant est avec lui. »

en hâte au banquet offert par Esther.   **7.** ¹ Le roi et
Aman se trouvant au banquet avec la reine Esther, ² le
roi y dit encore ce second jour à Esther : « Dis-moi ce
que tu demandes, reine Esther, c'est accordé d'avance !
Dis-moi ce que tu désires; serait-ce la moitié du royaume,
c'est chose faite ! » — ³ « Si vraiment j'ai trouvé grâce à
tes yeux, ô roi, lui répondit la reine Esther, et si tel est
ton bon plaisir, accorde-moi la vie, voilà ma demande,
et la vie de mon peuple, voilà mon désir. ⁴ Car nous
sommes voués, mon peuple et moi, à l'extermination, à
la tuerie et à l'anéantissement. Si encore nous n'avions été
voués qu'à devenir esclaves ou servantes, je me serais tue.
Mais en l'occurrence le persécuteur sera hors d'état de
compenser le dommage qui va en résulter pour le roi[a]. »
⁵ Mais déjà Assuérus coupait la parole à la reine Esther :
« Qui est-ce ? s'écria-t-il. Où est l'homme qui a pensé
accomplir pareil forfait ? » ⁶ Alors Esther : « Le persécuteur, l'ennemi, c'est Aman, c'est ce misérable ! » A la vue
du roi et de la reine, Aman fut glacé de terreur. ⁷ Furieux,
le roi se leva et quitta le banquet pour gagner le jardin du
palais, cependant qu'Aman demeurait près de la reine
Esther pour implorer d'elle la grâce de la vie, sentant trop
bien que le roi avait décidé sa perte.

⁸ Quand le roi revint du jardin dans la salle du banquet,
il trouva Aman effondré sur le divan où Esther était étendue. « Va-t-il après cela faire violence à la reine chez moi,
dans le palais ? » s'écria-t-il. A peine le mot était-il sorti

---

7 4-5. *Luc. ajoute aux discours d'Esther et du roi des termes injurieux à l'égard
d'Aman.*

---

a) La reine semble ne pas faire appel, au service de sa cause, à la bienveillance royale, contrairement à ce qu'elle fera en **8** 3. Elle reprend et
rétorque le motif d'intérêt national mis en avant par Aman.

de sa bouche qu'un voile fut jeté sur la face d'Aman[z].
[9] Harbona, un des eunuques qui se tenaient en présence
du roi, était là. « Justement, dit-il, il y a une potence de
cinquante coudées qu'Aman a fait préparer pour ce Mardochée dont le rapport a été le salut du roi; elle est toute
dressée dans sa maison. » — « Qu'on l'y pende », ordonna
le roi[b]. [10] Aman fut donc pendu à la potence dressée par
lui pour Mardochée et la colère du roi s'apaisa.

La faveur royale passe aux Juifs.

8. [1] Ce jour même le roi Assuérus donna à la reine Esther la maison d'Aman, le persécuteur des Juifs, et
Mardochée fut présenté au roi, à qui Esther avait révélé
ce qu'il était pour elle. [2] Le roi avait repris son anneau à
Aman; il l'ôta de son doigt pour le donner à Mardochée,
à qui, de son côté, Esther confia la gestion de la maison
d'Aman[c].

[3] Esther alla une seconde fois parler au roi. Elle se jeta
à ses pieds, elle pleura, elle se le rendit favorable en vue
de détourner les mauvais desseins conçus par Aman l'Agagite et de faire échouer l'attentat qu'il avait tramé contre
les Juifs. [4] Le roi lui tendit son sceptre d'or. Esther se
releva donc et se tint debout en face de lui. [5] « Si tel est
le bon plaisir du roi, lui dit-elle, et si vraiment j'ai trouvé

---

9. « *Ḥarbona* » H ; « *Bougathan* » G ; « *Agathas* » *Luc*.

---

a) Ce geste équivalait à une condamnation à mort. On voilait la tête
des condamnés à faire périr par pendaison.
b) On reconnaît ici un thème très fréquemment repris dans les livres
de sagesse, celui du retournement de fortune en faveur de l'opprimé :
cf. Pr **11** 8 et les dictons sur celui qui creuse une fosse et y tombe, Pr **26**
27; **28** 10; Qo **10** 8; Si **27** 26 et Ps **7** 16; **9** 16; **35** 7-8; **57** 7; cf. aussi
Gn **50** 20 s. Comparer dans le N. T. Mt **7** 2; Lc **6** 28 (cf. introduction,
pp. 87 s).
c) Cf. Dn **2** 48-49; et Pr **13** 22; **28** 8.

grâce devant lui, si ma demande lui paraît juste et si je
suis moi-même agréable à ses yeux, qu'il veuille révoquer
expressément les lettres qu'Aman, fils de Hamdata, l'Agagite, a fait écrire pour perdre les Juifs de toutes les
provinces du royaume. ⁶ Comment pourrais-je voir mon
peuple dans le malheur qui va l'atteindre ? Comment
pourrais-je être témoin de l'extermination de ma race ? »

⁷ Le roi Assuérus répondit à la reine Esther et au Juif
Mardochée : « En ce qui me concerne, j'ai donné à Esther
la maison d'Aman après l'avoir fait pendre pour avoir
voulu perdre les Juifs. ⁸ Vous, écrivez-leur, de votre côté,
ce que vous jugerez bon, au nom du roi. Scellez ensuite
de l'anneau royal. Car tout rescrit rédigé au nom du roi
et scellé de son sceau est irrévocable[a]. » ⁹ Les scribes
royaux furent convoqués aussitôt, — c'était le troisième
mois, qui est Sivân, le vingt-troisième jour, — et sur
l'ordre de Mardochée ils écrivirent aux Juifs, aux satrapes,
aux gouverneurs, aux grands officiers des provinces éche-
lonnées de l'Inde à l'Éthiopie, soit cent vingt-sept provinces, à chaque province selon son écriture, à chaque
peuple selon sa langue et aux Juifs selon leur écriture

---

8 9. *G : « le premier mois de cette année, celui de Nisan, le 23ᵉ jour ».*

a) Le texte hébreu, en faisant réaffirmer par Assuérus ce qui avait déjà
été dit dans une autre circonstance par ses conseillers (**1** 19), ne se met pas
en peine de donner les raisons de cette volte-face du roi, ni de justifier la
caducité du précédent décret pourtant écrit au nom du roi et scellé de son
sceau (**3** 12). Le texte grec (**8** 12ᶜ⁻ᵒ) fait expliquer par Mardochée écrivant
au nom du roi, comment la bonne foi royale a été surprise par l'intrigant
Aman, sa manœuvre n'étant qu'un complot politique. Quant à Lucien, il
insiste à ce propos assez lourdement sur le rôle d'Esther dans le massacre :
« Esther dit ensuite au roi : ' Fais-moi la faveur de frapper de mort mes
ennemis.' Et la reine Esther faisait aussi des instances auprès du roi contre
les fils d'Aman, afin qu'eux aussi mourussent avec leur père. Et le roi dit :
' Soit ! ' Et elle frappa ses ennemis en foule. Le roi accorda également à la
reine que des hommes fussent tués à Suse. Il dit : ' Je t'autorise à pendre ! '
Et ce fut fait » (cf. **9** 12 hébr.). En 3 M **7** 10 ce sont les Juifs eux-mêmes
qui demandent au roi la permission de punir leurs coreligionnaires renégats.

et leur langue. [10] Ces lettres, rédigées au nom du roi Assuérus et scellées de son sceau, furent portées par des courriers montés sur des chevaux des haras du roi. [11] Le prince
y octroyait aux Juifs, en quelque ville qu'ils fussent, le
droit de se rassembler pour mettre leur vie en sûreté, avec
permission d'exterminer, égorger et détruire tous gens
armés des peuples ou des provinces qui voudraient les
attaquer, avec leurs femmes et leurs enfants, comme aussi
de piller leurs biens[a]. [12] Cela se ferait le même jour dans
toutes les provinces du roi Assuérus, le treizième jour du
douzième mois, qui est Adar.

1

**Décret
de réhabilitation.**

12[a] *Voici le texte de cette
lettre[b] :*

12[b] *« Le grand roi Assuérus
aux satrapes des cent vingt-sept
provinces qui s'étendent de l'Inde à l'Éthiopie, aux gouverneurs
de province et à tous ses loyaux sujets, salut !*

2   12[c] *« Bien des gens, lorsque sur leur tête l'extrême bonté de
leurs bienfaiteurs accumule les honneurs, n'en conçoivent que de
3 l'orgueil. Il ne leur suffit pas de chercher à nuire à nos sujets,
mais leur satiété même leur devenant un fardeau insupportable,
ils montent leurs machinations contre leurs propres bienfaiteurs[c] ;
4 12[d] et, non contents de bannir la reconnaissance du cœur des
hommes, enivrés plutôt par les applaudissements de qui ignore
le bien, alors que tout est à jamais sous le regard de Dieu, ils se*

12[a]-12[x] = *Vulg* **16** 1-24. *Saint Jérôme fait précéder le texte de la mention :
« Copie de la lettre envoyée par le roi Artaxerxès à toutes les provinces de son
royaume en faveur des Juifs. Elle ne se trouve pas non plus dans le texte hébreu. »*

a) Cf. 3 M **7** 10-12 : les Juifs ne réclament aucune vengeance contre les
hellénistes dont un bon nombre ont d'ailleurs été présentés comme judéo-
philes (3 M **3** 8-10). L'esprit de ce livre est plus proche de la tolérance que
l'on trouve dans la Sagesse.

b) Cf. 3 M **7** 1-9. La lettre de Ptolémée semble copier celle d'Assuérus
bien que le style en soit moins grandiloquent.

c) Cf. 3 M **7** 3-4.

5 *flattent d'échapper à sa justice qui hait les méchants.* 12e *Ainsi maintes et maintes fois est-il arrivé aux autorités constituées, pour avoir confié à des amis^a l'administration des affaires et s'en être laissé influencer, de porter avec eux le poids du sang*
6 *innocent au prix d'irrémédiables malheurs,* 12^f *les sophismes menteurs d'une nature perverse ayant égaré l'irréprochable droi-*
7 *ture d'intentions du pouvoir.* 12^g *Il n'est que d'ouvrir les yeux : sans même aller jusqu'aux récits d'autrefois que nous venons de rappeler, regardez seulement sous vos pas, que d'impiétés*
8 *perpétrées par cette peste des gouvernants indignes !* 12^h *Aussi bien nos efforts vont-ils tendre à assurer à tous, dans l'avenir, la*
9 *tranquillité et la paix du royaume,* 12^i *en procédant aux change-ments opportuns et en jugeant toujours les affaires qui nous seront soumises dans un esprit de bienveillant accueil^b.*

10   12^k « *C'est ainsi qu'Aman, fils de Hamdata, un Macédonien^c, en toute vérité étranger au sang perse et très éloigné de notre bonté,*
11 *avait été reçu chez nous comme hôte* 12^l *et avait rencontré de notre part les sentiments d'amitié que nous portons à tous les peuples, jusqu'au point de se voir proclamer 'notre père' et de se voir révérer par tous de la prostration comme placé immédiatement*
12 *après le trône royal.* 12^m *Or, incapable de tenir son rang élevé, il*
13 *s'appliqua à nous ôter le pouvoir et la vie.* 12^n *Nous avons un sauveur, un homme qui toujours a été notre bienfaiteur, Mar-dochée, une irréprochable compagne de notre royauté, Esther ; les manœuvres de ses tortueux sophismes nous en ont demandé la*
14 *mort, avec celle de tout leur peuple,* 12° *pensant, par ces premières mesures, nous réduire à l'isolement et remplacer la domination perse par celle des Macédoniens^d.*

---

a) En 1 M 6 14 nous voyons un « ami » du roi associé au pouvoir.

b) Cf. 3 M 7 6.

c) Le mot « Macédonien », attesté ici et en 12° par tous les Mss grecs est bien inattendu. Le contexte historique du récit suggère de voir une allusion aux conflits d'hégémonie entre Mèdes et Perses. Cf. HÉROD., III, 65.

d) Cf. 3 M 6 24.

15 12p « *Mais nous, loin de trouver en ces Juifs, voués à la dis-*
parition par ce triple scélérat, des criminels, nous les voyons
16 *régis par les plus justes des lois.* 12q *Ils sont les fils du Très*
Haut, du grand Dieu vivant, à qui nous et nos ancêtres devons
17 *le maintien du royaume dans l'état le plus florissant*[a]. 12r *Vous*
18 *ferez donc bien de ne pas tenir compte des lettres envoyées par*
Aman, fils de Hamdata, leur auteur ayant été pendu aux portes
de Suse avec toute sa maison, digne châtiment que Dieu, Maître
19 *universel, lui a incontinent infligé.* 12s *Affichez une copie de la*
présente lettre en tout lieu, laissez les Juifs suivre ouvertement
20 *les lois qui leur sont propres*[b] *et portez-leur assistance contre qui*
les attaquerait au propre jour fixé pour les écraser, soit le trei-
21 *zième jour du douzième mois, qui est Adar.* 12t *Car ce jour qui*
devait être un jour de ruine, la suprême souveraineté de Dieu
vient de le changer en un jour d'allégresse en faveur de la race
22 *choisie.* 12u *Quant à vous, Juifs, parmi vos fêtes solennelles,*
célébrez ce jour mémorable par force banquets[c], *afin qu'il soit*
dès maintenant et demeure à l'avenir, pour vous et pour les Perses
23 *de bonne volonté, le souvenir de votre salut, et pour vos ennemis*
le mémorial de leur ruine[d].
24 12x « *Toute ville, et, plus généralement, toute contrée qui ne*
suivra pas ces instructions sera impitoyablement dévastée par
le fer et le feu, rendue impraticable aux hommes et pour toujours
odieuse aux bêtes sauvages et aux oiseaux eux-mêmes[e]. »

12s. *Luc. fait porter la prescription sur la célébration du* 14 *Adar et l'institution d'une festivité le* 15. *Quelques vv. plus loin, faisant allusion à une mission de Mardochée, il mentionne l'ordre donné au peuple de « rester chacun dans sa contrée et de célébrer une fête pour Dieu ».*

---

a) Cf. 3 M **7** 6; **6** 27-28.
b) Cf. Esd **7** 25-26.
c) Cf. 3 M **6** 30-31.
d) Cf. 3 M **6** 36.
e) Cf. Dn **3** 96.

¹³ Le texte de cet édit, destiné à être promulgué comme loi dans chaque province, fut publié parmi toutes les populations afin que les Juifs se tinssent prêts au jour dit à tirer vengeance de leurs ennemis. ¹⁴ Des estafettes, montant des coursiers royaux, partirent en grande hâte et diligence sur l'ordre du roi. Le décret fut aussi publié dans la citadelle de Suse. ¹⁵ Mardochée sortit de chez le roi revêtu d'un habit princier de pourpre violette et de lin blanc, couronné d'un grand diadème d'or et portant un manteau de byssus et de pourpre rouge. La ville de Suse tout entière retentit d'allégresse. ¹⁶ Ce fut, pour les Juifs, un jour de lumière[a], de liesse, d'exultation et de triomphe. ¹⁷ Dans toutes les provinces, dans toutes les villes, partout enfin où parvinrent les ordres du décret royal, ce ne fut, pour les Juifs, qu'allégresse, liesse, banquets et fêtes[b]. Parmi la population du pays bien des gens se firent Juifs, car la crainte des Juifs s'appesantit sur eux[c].

Le grand jour des Purim.

9. ¹ Les ordres du décret royal entrant en vigueur le douzième mois, Adar, au treizième jour, ce jour où les ennemis des Juifs s'étaient flattés de les écraser vit la situation retournée[d] : ce furent les Juifs qui écrasèrent

---

16. *Luc. lit* : « *Pour les Juifs : lumière, beuveries, larges coupes.* »

---

a) Cette « lumière » signifie la joie de la délivrance. L'image se retrouve ailleurs : Ps **97** 11-12 ; **112** 4 ; Pr **13** 9.

b) Cf. 3 M **6** 35.

c) Les interventions providentielles de Dieu en faveur de son peuple sont traditionnellement présentées comme engendrant la crainte chez les peuples rivaux d'Israël (Ex **15** 14 s ; Dt **11** 25 ; Ps **105** 38).

d) Souvent la Bible présente Dieu « intervertissant » le cours des événements en faveur de son peuple : il change la mer en terre sèche (Ps **66** 6), les rivières en sang (Ps **78** 44), le rocher en source (Ps **114** 8), les ténèbres en aurore (Am **5** 8), la malédiction en bénédiction (Dt **23** 6), les fêtes en deuil (Am **8** 10) et le deuil en fête (Jr **31** 13 ; Ps **30** 12). Cf. plus haut note *b*, p. 123. Comparer 3 M **6** 34.

leurs ennemis. ² Dans toutes les provinces du roi Assuérus ils se rassemblèrent dans les villes qu'ils habitaient afin de frapper ceux qui avaient comploté leur perte. Personne ne leur résista, car la peur des Juifs pesait sur toutes les populations. ³ Grands officiers des provinces, satrapes, gouverneurs, fonctionnaires royaux, tous soutinrent les Juifs par crainte de Mardochée[a]. ⁴ Mardochée était en effet un personnage éminent au palais, sa renommée se répandait dans toutes les provinces : Mardochée était en train de devenir un grand homme[b].

⁵ Les Juifs frappèrent donc tous leurs ennemis à coups d'épée. Ce fut un massacre, une extermination, et ils firent ce qu'ils voulurent de leurs adversaires. ⁶ A la seule citadelle de Suse les Juifs mirent à mort et exterminèrent cinq cents hommes[c], ⁷ notamment Parshândata, Dalphôn, Aspata, ⁸ Porata, Adalya, Aridata, ⁹ Parmashta, Arisaï, Aridaï et Yezata[d] ¹⁰ les dix fils d'Aman, fils de Hamdata, le persécuteur des Juifs. Mais ils ne se livrèrent pas au pillage[e].

¹¹ Le dénombrement des victimes égorgées à la citadelle

---

9 6. *G et Luc. portent chacun des noms souvent fort différents de ceux du texte hébreu. Luc. distingue les fils d'Aman des six victimes qu'il nomme.*

---

a) Ici comme en **8** 17 et **9** 3, et dans toute la tradition biblique, la crainte des Juifs qui en impose à leurs ennemis est conçue comme une disposition providentielle; bien que rien n'en soit dit explicitement.

b) Le nom de Mardochée est ici accumulé à dessein. C'est une première ébauche de son apologie (cf. **10** 3).

c) Cf. 3 M **7** 15-16.

d) Le texte hébreu présente traditionnellement cette liste des fils d'Aman en trois colonnes verticales. Les Juifs y voyaient le rappel de la façon dont ils auraient été exécutés. Tous auraient été pendus ensemble, sur trois cordes parallèles, et auraient expiré en même temps. Aussi devait-on lire leurs noms d'un seul trait.

e) Ici comme en **9** 15 on oppose la conduite cruellement implacable, mais désintéressée, des Juifs à l'ignoble déprédation à laquelle étaient conviés les Perses d'après la teneur de la lettre d'Aman (**3** 13). Le livre de Judith ne se fera pas scrupule de mentionner le pillage du camp assyrien et le partage du butin (Jdt **15** 7, 11, 19).

de Suse parvint au roi le jour même. [12] « Dans la seule citadelle de Suse, les Juifs ont mis à mort et exterminé cinq
cents hommes, ainsi que les dix fils d'Aman, dit-il à la reine
Esther. Que n'auront-ils pas fait dans le reste des provinces
royales ! Et maintenant, dis-moi ce que tu as à demander,
c'est accordé d'avance ! Dis-moi ce que tu désires de plus,
c'est chose faite ! » — [13] « Si tel est le bon plaisir du roi,
répondit Esther, les Juifs de Suse ne pourraient-ils pas
appliquer encore demain le décret porté pour aujour-
d'hui ? Quant aux dix fils d'Aman, qu'on suspende leurs
cadavres au gibet ! » [14] Sur quoi, le roi en ayant donné
l'ordre, l'édit fut proclamé à Suse et les dix fils d'Aman
pendus. [15] Ainsi, les Juifs de Suse se réunirent aussi le
quatorzième jour d'Adar et ils égorgèrent trois cents
hommes dans Suse, mais ils ne se livrèrent pas au pillage.

[16] De leur côté, les Juifs des provinces royales se réunirent aussi pour mettre leur vie en sûreté. Ils se débar-
rassèrent de leurs ennemis en égorgeant soixante-quinze
mille de leurs adversaires, sans se livrer au pillage[a].
[17] C'était le treizième jour du mois d'Adar. Le quatorzième ils se reposèrent et de ce jour ils firent un jour de
festins et de liesse. [18] Pour les Juifs de Suse qui s'étaient
réunis le treizième et le quatorzième jour, c'est le quinzième qu'ils se reposèrent, faisant pareillement de ce jour

---

16. *G :* « 15.000 »; *Luc.* : « 10.700 ».

---

a) La pendaison d'Aman, le décret obtenu par Esther, le jour supplé-
mentaire de tuerie demandé par la reine, le chiffre global des victimes dans
l'empire, font un effet des plus choquants que l'auteur augmente à plaisir.
L'impression est d'ailleurs moins pénible si l'on fait plus grande la part
de l'invention littéraire. L'auteur ne prétend certes pas soutenir le droit
absolu à pareille revanche parce qu'elle serait en faveur du peuple de Dieu.
Il écrit dans la vieille mentalité juive et se préoccupe surtout de faire
voir que toute entreprise criminelle montée contre sa race se retournera
immanquablement contre son auteur (cf. **4** 17[q] et Za **2** 12).

un jour de festins et de liesse*a*. ¹⁹ Ce qui explique que ce soit le quatorzième jour d'Adar que les Juifs de la campagne, ceux qui habitent des villages non fortifiés, célèbrent dans l'allégresse et les banquets, par des festivités et l'échange mutuel de portions*b*, ¹⁹ᵃ *tandis que pour ceux des villes, le jour heureux qu'ils passent dans la joie en envoyant des portions à leurs voisins est le quinzième jour d'Adar.*

V

LA FÊTE DES PURIM

**Institution officielle
de la fête
des Purim.**

²⁰ Mardochée consigna par écrit ces événements. Puis il envoya des lettres à tous les Juifs qui se trouvaient dans les provinces du roi Assué-

---

19ᵃ. *Au texte hébreu nous ajoutons la 2ᵉ partie du v. 19 telle qu'elle est dans le grec (19ᵃ). Elle semble appelée par le contexte.*

a) Cf. 3 M 6 35-38. Les banquets tiennent une grande place dans le livre d'Esther (**1** 3, 5, 9; **2** 18; **3** 15; **5** 4, 6; **7** 1-8) et marquent tout naturellement la joie du peuple juif (**8** 12ᵘ, 17; **9** 17, 19). D'où l'institution de banquets destinés à marquer le jour des Purim. On sait par la tradition juive que de telles agapes, où les convives buvaient jusqu'à ne plus pouvoir distinguer « Maudit soit Aman » de « Béni soit Mardochée » (*Gem. Meg.* VII, 2), caractérisaient cette fête, très peu religieuse d'ailleurs. Contrairement à ce que note le livre de Judith après la victoire sur les Assyriens (Jdt **15** 14 s; **16** 18-20), on ne mentionne ici ni hymne d'actions de grâces, ni cérémonie religieuse. Seule la recension de Lucien donne le texte d'une brève action de grâces : « Et tout le peuple cria et poussa de grandes clameurs : ' Béni sois-tu, Seigneur, toi qui te souviens des alliances conclues avec nos ancêtres ! Amen '. »

b) Cette distribution de « portions » est déjà mentionnée en Ne **8** 10-12 à l'occasion d'une festivité, celle de la proclamation solennelle de la Loi, constitution de la nation renaissante, au 1ᵉʳ Tishri. Plus qu'un geste de bienfaisance, c'est le symbole de la communion à une même joie.

rus, proches ou lointaines. [21] Il les y engageait à célébrer chaque année le quatorzième et le quinzième jour d'Adar, [22] parce que ces jours sont ceux où les Juifs se sont débarrassés de leurs ennemis[a], et ce mois celui où, pour eux, l'affliction fit place à l'allégresse et le deuil aux festivités. Il les conviait donc à faire de ces journées des jours de festins et de liesse, à y échanger mutuellement des portions et à y faire des largesses aux pauvres.

[23] Les Juifs adoptèrent ces pratiques qu'ils avaient spontanément commencé d'observer et au sujet desquelles Mardochée leur avait écrit : [24] « Aman, fils de Hamdata, l'Agagite, le persécuteur de tous les Juifs, avait machiné leur perte et il avait tiré le ' Pûr ', c'est-à-dire les sorts, pour leur confusion et leur ruine. [25] Mais quand il fut rentré chez le roi pour lui demander de faire pendre Mardochée, le mauvais dessein qu'il avait conçu contre les Juifs se retourna contre lui[b], et il fut pendu, ainsi que ses fils, à la potence. [26] C'est la raison pour laquelle ces jours furent appelés les Purim, du mot ' Pûr '. » C'est aussi pourquoi, d'après les termes de cette lettre de Mardochée, d'après ce qu'ils avaient eux-mêmes constaté ou d'après ce qui était parvenu jusqu'à eux, [27] les Juifs s'engagèrent, eux, leur postérité, et tous ceux qui s'adjoindraient à eux[c],

---

25. *Nous lisons ce v. avec G. H : « Mais quand elle (Esther) fut entrée chez le roi, il dit... » Le mot suivant 'im-hasséper est inintelligible. Peut-être indique-t-il un renvoi : « (lire) avec le livre » (?). — De plus le pronom féminin complément de l'inf. cstr. dans ûb^{e}bo'âh ne rappelle aucun nom féminin précédent.*

26. *G « Phrouraï »; Luc. « Phourdaïa ».*

a) Cf. **4** 17ᵈ et p. 133, note b.
b) Cf. **6** 5-13.
c) Le caractère très nationaliste et « revanchard » du livre n'exclut donc pas un certain universalisme : la possibilité d'admettre des prosélytes à partager les joies nationales (cf. Is **56** 3-6). Le 3ᵉ livre des Maccabées est encore plus philhellène. Cf. aussi Est **8** 12ⁿ.

à célébrer sans faute ces deux jours-là, d'après ce texte et à cette date, d'année en année. [28] Ainsi commémorés et célébrés de génération en génération, dans chaque famille, chaque province, chaque ville, ces jours des Purim ne disparaîtront pas de chez les Juifs, leur souvenir ne périra pas au sein de leur race.

[29] La reine Esther, fille d'Abihayil, écrivit avec toute autorité pour donner force de loi à cette seconde lettre[a], [30] et fit envoyer des lettres à tous les Juifs des cent vingt-sept provinces du royaume d'Assuérus, comme paroles de paix et consignes de fidélité, [31] pour leur enjoindre d'observer ces jours des Purim à leur date, comme le leur avait commandé le Juif Mardochée et de la façon dont on les y avait obligés, eux-mêmes et leur race, en y joignant des ordonnances de jeûne et de lamentations[b]. [32] Ainsi l'ordonnance d'Esther fixa la loi des Purim et elle fut écrite dans un livre.

---

29. *Ce v. porte la marque de plusieurs surcharges. Au v.* 30 wayyišlaḥ *suppose qu'au v. précédent il y a un unique sujet masculin. S'il s'agit de Mardochée le v.* 31 *est mal rédigé. Il l'est encore si l'on y maintient « et la reine Esther ». De plus, la reine apparaît seule au v.* 32 *comme auteur de l'ordonnance dont il est question. Nous proposons donc la lecture conjecturale qui fournit le meilleur sens.*

---

a) Il s'agit de la lettre de Mardochée mentionnée aux vv. 23-26, la première l'étant aux vv. 20-22.

b) Ces dernières ordonnances sont inattendues. Elles se réfèrent sans doute à **4** 16 : c'est le jeûne qui a mérité la délivrance. Depuis **9** 20 le texte paraît fort composite et porte la trace de documents d'origine sans doute fort diverse. Déjà en **9** 19 et 19[a], double façon de célébrer les Purim, à la ville ou à la campagne. La solennité a ici une origine traditionnelle (**9** 26[b]) et là une origine institutionnelle (**9** 20, 26[a], 29) remontant à Mardochée lui-même. Parfois c'est Esther qui prend l'initiative de l'institution (**9** 29 hébr., texte glosé par adjonction de Mardochée; **9** 32). Plusieurs « lettres » sont mentionnées : une de Mardochée (**9** 20-22), une seconde du même (**9** 24-26 : on en cite un résumé), une troisième d'Esther (**9** 29-32), avec mention d'une ordonnance considérée comme définitive. Le texte grec, en ajoutant la notice sur la traduction du livre en grec à la fin du ch. suivant, complétera la documentation que l'auteur a voulu réunir et transmettre en fin de volume.

10.   ¹ Le roi Assuérus
Éloge de Mardochée.   levait tribut sur le continent
et sur les îles de la mer.
² Tous les exploits de sa vigueur et de sa vaillance, ainsi
que la relation de l'élévation de Mardochée qu'il avait
exalté, tout cela est écrit dans le livre des Chroniques des
rois des Mèdes et des Perses*a*.

³ On y lit : « Le Juif Mardochée était le premier après
le roi Assuérus. C'était un homme considéré par les Juifs,
aimé par la multitude de ses frères, recherchant le bien de
son peuple et se préoccupant du bonheur de sa race*b*. »

10.   4-5   *^{3a} Et Mardochée dit : « C'est de Dieu qu'est venu tout cela !*
^{3b} Si je me remémore le songe que j'eus à ce sujet, rien n'a été
   6   *omis : ^{3c} ni la petite source qui devient un fleuve, ni la lumière*
qui brille, ni le soleil, ni l'abondance d'eaux. Esther est ce fleuve,
   7-8   *elle qu'épousa le roi et qu'il fit reine. ^{3d} Les deux dragons, c'est*
Aman et moi. ^{3e} Les peuples, ce sont ceux qui se coalisèrent
   9   *pour détruire le nom des Juifs. ^{3f} Mon peuple, c'est Israël, ceux*
qui crièrent vers Dieu et furent sauvés. Oui, le Seigneur a sauvé
son peuple, le Seigneur nous a arrachés à tous ces maux, Dieu
a accompli des prodiges et des merveilles comme il n'y en eut

---

10 2. *G et Luc.* attribuent au roi la mise par écrit de ces événements « *dans les livres des Perses et des Mèdes* », en mémorial.

---

     a) Il semblerait que l'auteur veuille se référer ici à une chronique perse qui lui aurait fourni la matière de son récit. On peut penser aussi qu'il a tout simplement voulu imiter les formules de conclusion au récit de chaque règne dans les Livres des Rois.
     b) Cf. la présentation de Jérémie par Onias en 2 M **15** 14. Ce dernier v. du texte hébreu et la finale du texte grec (v. 3^{a-k}), où Mardochée exprime des sentiments de religieuse modestie, tendent à faire du livre plus encore le « livre de Mardochée » que le « livre d'Esther » (cf. **9** 4). C'est lui qui a été éclairé par Dieu et a tout conduit pour le bien du peuple élu. Il est le « Juif » par excellence, comme Judith sera « la Juive ». C'est ainsi que le jour où sera tout d'abord commémorée la revanche juive sera « le jour de Mardochée » (2 M **15** 36).

¹⁰ *jamais parmi les nations.* ^{3g} *De fait, il a établi deux destinées,*
¹¹ *l'une en faveur de son peuple, l'autre pour les nations.* ^{3h} *Et ces*
destinées se sont accomplies à l'heure, au temps et au jour arrêtés
¹² *selon son dessein et chez tous les peuples.* ³ⁱ *Dieu, alors, s'est*
¹³ *souvenu de son peuple, il a fait justice à son héritage,* ^{3k} *pour qui ces*
jours, les quatorzième et quinzième du mois d'Adar, seront désor-
mais des jours d'assemblée, de liesse et de joie devant Dieu, pour
toutes les générations et à perpétuité, dans Israël, son peuple. »

¹   ^{3l} *La quatrième année du*
Note sur la   *règne de Ptolémée et de Cléo-*
traduction grecque   *pâtre, Dosithée qui se disait*
du livre^a.   *prêtre et lévite, ainsi que son*
                          fils Ptolémée, apportèrent la
présente lettre concernant les Purim. Ils la donnaient comme
authentique et traduite par Lysimaque, fils de Ptolémée, de la
communauté de Jérusalem.

---

a) Cet appendice apposé au texte grec nous apprend : 1) que la communauté juive d'Égypte tenait le livre d'Esther, appelé « la présente lettre
concernant les Purim », de la communauté de Palestine (cf. 2 M **2** 14-16
où les Juifs palestiniens invitent les Égyptiens à venir se renseigner auprès
d'eux sur les livres sacrés et les solennités à célébrer). Cependant aucune
mention n'est faite, dans cette notice, des grandes autorités de Jérusalem.
L'initiative est attribuée à Dosithée « qui se disait prêtre et lévite ». La
réticence est sensible. 2) que cette introduction du livre, et vraisemblablement de la fête, en Égypte daterait de 114 (préférablement à 48) av. J. C.,
suivant que le souverain nommé est Ptolémée VIII ou Ptolémée XII, tous
deux ayant été mariés à une Cléopâtre.

TABLE

ACHEVÉ D'IMPRIMER SUR LES
PRESSES DE L'IMPRIMERIE
DARANTIERE A DIJON, LE
ONZE DÉCEMBRE M. CM. LVIII

Numéro d'édition 4.925
Dépôt légal 1er trimestre 1959

19231